TGAU
Ffrangeg CBAC
CANLLAW ADOLYGU

Bethan McHugh a
Chris Whittaker

Crown House Publishing
www.crownhouse.co.uk

Addasiad Cymraeg o *WJEC French GCSE Revision Guide* a gyhoeddwyd yn 2018 gan

Crown House Publishing Cyf
Crown Buildings, Bancyfelin, Caerfyrddin, SA33 5ND
www.crownhouse.co.uk
a
Crown House Publishing Company CAC
PO Box 2223, Williston, VT 05495
www.crownhousepublishing.com

Cyhoeddwyd dan nawdd Cynllun Adnoddau Addysgu a Dysgu CBAC

Data *Catalogio drwy Gyhoeddi* y Llyfrgell Brydeinig

Mae cofnod catalog ar gyfer y llyfr hwn ar gael gan y Llyfrgell Brydeinig.

ISBN 978-178583466-0

Argraffwyd a rhwymwyd yn y DU gan Pureprint Group, Uckfield, East Sussex

CYNNWYS

CYFLWYNO TGAU FFRANGEG CBAC 5

Arholiad Siarad 6

   Chwarae rôl 6

   Llun ar gerdyn 7

   Sgwrs 8

Arholiad Gwrando 9

Arholiad Darllen 10

Arholiad Ysgrifennu 12

Y Pethau Sylfaenol 14

   Rhifau 14

   Dyddiadau 15

   Yr amser 16

   Gofyn cwestiynau .17

HUNANIAETH A DIWYLLIANT 19

Diwylliant Ieuenctid 19

   Yr hunan a pherthnasoedd 20

   Technoleg a chyfryngau cymdeithasol 24

Ffordd o Fyw 29

   Iechyd a ffitrwydd .30

   Adloniant a hamdden 34

Arferion a Thraddodiadau 39

   Bwyd a diod 40

   Gwyliau a dathliadau 44

CYMRU A'R BYD – MEYSYDD O
DDIDDORDEB 49

Y Cartref a'r Ardal Leol 49

   Ardaloedd lleol o ddiddordeb 50

   Teithio a thrafnidiaeth 54

Y Byd Ehangach 59

   Nodweddion lleol a rhanbarthol Ffrainc a
   gwledydd Ffrangeg eu hiaith 60

   Gwyliau a thwristiaeth 64

Cynaliadwyedd Byd-eang 69

   Yr amgylchedd 70

   Materion cymdeithasol 74

ASTUDIAETH GYFREDOL, ASTUDIAETH YN Y
DYFODOL A CHYFLOGAETH 79

Astudiaeth Gyfredol 79

   Bywyd ysgol/coleg .80

   Astudiaethau ysgol/coleg 84

Menter, Cyflogadwyedd a Chynlluniau ar
gyfer y Dyfodol 89

   Cyflogaeth 90

   Sgiliau a rhinweddau personol 94

   Astudiaeth ôl-16 98

   Cynlluniau gyrfa 102

GRAMADEG 107

Termau Gramadeg 108

Enwau 109

Ffurfiau'r Fannod 110

Ansoddeiriau 111

Adferfau 115

Rhagenwau 117

Arddodiaid 121

Ymadroddion Amser 123

Ffurfiau Negyddol 124

Berfau 125

Tablau Berfau 133

Atebion 142

CYFLWYNO TGAU FFRANGEG CBAC

Mae eich TGAU Ffrangeg wedi'i rannu yn dair prif thema:

- HUNANIAETH A DIWYLLIANT
- CYMRU A'R BYD – MEYSYDD O DDIDDORDEB
- ASTUDIAETH GYFREDOL, ASTUDIAETH YN Y DYFODOL A CHYFLOGAETH

Bydd eich pedwar arholiad Ffrangeg (SIARAD, GWRANDO, DARLLEN ac YSGRIFENNU) yn rhoi sylw cyfartal i'r tair thema hyn. Mae pob arholiad yn werth 25% o'ch gradd derfynol. Dydych chi ddim yn cael defnyddio geiriadur mewn unrhyw arholiad.

Nawr am y darn dryslyd! Mae gan bob un o'r tair thema hyn wahanol is-themâu sy'n cael eu rhannu yn adrannau. Mae'r adrannau hyn i gyd yr un mor bwysig – felly peidiwch â threulio eich amser i gyd yn canolbwyntio ar eich hoff rai! Gwnewch yn siŵr eich bod chi'n rhoi'r un faint o amser i adolygu pob un o'r pynciau.

HUNANIAETH A DIWYLLIANT	CYMRU A'R BYD – MEYSYDD O DDIDDORDEB	ASTUDIAETH GYFREDOL, ASTUDIAETH YN Y DYFODOL A CHYFLOGAETH
DIWYLLIANT IEUENCTID • Yr hunan a pherthnasoedd • Technoleg a chyfryngau cymdeithasol **FFORDD O FYW** • Iechyd a ffitrwydd • Adloniant a hamdden **ARFERION A THRADDODIADAU** • Bwyd a diod • Gwyliau a dathliadau	**Y CARTREF A'R ARDAL LEOL** • Ardaloedd lleol o ddiddordeb • Teithio a thrafnidiaeth **Y BYD EHANGACH** • Nodweddion lleol a rhanbarthol Ffrainc a gwledydd Ffrangeg eu hiaith • Gwyliau a thwristiaeth **CYNALIADWYEDD BYD-EANG** • Yr amgylchedd • Materion cymdeithasol	**ASTUDIAETH GYFREDOL** • Bywyd ysgol/coleg • Astudiaethau ysgol/coleg **MENTER, CYFLOGADWYEDD A CHYNLLUNIAU AR GYFER Y DYFODOL** • Cyflogaeth • Sgiliau a rhinweddau personol • Astudiaeth ôl-16 • Cynlluniau gyrfa

Mae'r canllaw adolygu hwn yn ymdrin â phob un o'r themâu a'r is-themâu, yn ogystal â rhoi awgrymiadau a chyngor i chi ar sut i baratoi ar gyfer pob arholiad gyda digon o gwestiynau math arholiad ac ymarfer gramadeg i'ch helpu. Bonne chance!

Sylwch: Byddwn ni'n cyfeirio at y Gymraeg drwy gydol y canllaw hwn fel yr iaith ar gyfer ateb a chyfieithu i/o'r Ffrangeg. Ond os ydych chi'n astudio TGAU Ffrangeg drwy gyfrwng y Saesneg, yna newidiwch 'Cymraeg' i 'Saesneg'.

ARHOLIAD SIARAD

Yr arholiad cyntaf y byddwch chi'n ei wneud yw'r arholiad siarad. Mae hwn fel arfer yn cael ei gynnal dipyn yn gynt na'r tri arholiad arall. Bydd yr arholiad cyfan yn para tua 20 munud, yn cynnwys eich amser paratoi. Dyma beth fydd yn digwydd:

1. Byddwch chi'n mynd i ystafell baratoi gyda goruchwyliwr a byddwch chi'n cael llyfryn. Mae'r llyfryn yn cynnwys eich chwarae rôl, llun ar gerdyn a dewisiadau ar gyfer y sgwrs. Byddwch chi'n cael 12 munud i baratoi ar gyfer yr arholiad ac i wneud nodiadau. Fyddwch chi ddim yn gallu ysgrifennu brawddegau llawn na sgript ond dylech chi gael amser i feddwl am yr hyn rydych chi'n mynd i'w ddweud a nodi rhai geiriau allweddol ac ymadroddion defnyddiol.
2. Ar ôl i'ch amser paratoi ddod i ben, byddwch chi'n mynd i mewn i'r ystafell arholiad gyda'ch athro/athrawes. Byddwch chi'n cael mynd â'ch nodiadau gyda chi. Ar ôl i'r athro/athrawes recordio eich enw, eich rhif ymgeisydd, ac yn y blaen, bydd yr arholiad yn dechrau. Byddwch chi'n gwneud y chwarae rôl, yna'r llun ar gerdyn ac yn olaf y sgwrs. Ni fydd y recordiad yn cael ei stopio rhwng pob adran.

CHWARAE RÔL

Bydd eich chwarae rôl yn edrych yn debyg i hyn:

Sefyllfa: Mae eich ffrind o Ffrainc wedi dod i ymweld â chi ac rydych chi'n siarad am iechyd. Bydd eich athro/athrawes yn chwarae rhan eich ffrind o Ffrainc.

Eich athro/athrawes fydd yn siarad gyntaf.

- Dywedwch pa chwaraeon rydych chi'n eu gwneud/chwarae.
- Rhowch farn am fwyd cyflym.
- Atebwch y cwestiwn.
- Gofynnwch i'ch ffrind beth mae ef/hi yn ei wneud i gadw'n iach.
- Dywedwch beth fwytoch chi ddoe.

Bydd brawddeg ar y dechrau yn Gymraeg. Dyma'r 'sefyllfa' ac mae'n esbonio thema'r chwarae rôl. Peidiwch â phoeni gormod am y manylion. Y peth pwysicaf yw'r thema – iechyd, yn yr enghraifft hon – a'r rhan sy'n dweud wrthoch chi pwy fydd yn siarad gyntaf (eich athro/athrawes fel arfer, ond ddim bob tro). Mae **pump** o bwyntiau bwled ym mhob chwarae rôl. Gwnewch yn siŵr eich bod yn ymateb â brawddeg lawn i bob un.

Pan welwch chi **Atebwch y cwestiwn** bydd yn rhaid i chi ymateb i gwestiwn nad ydych chi wedi paratoi ar ei gyfer. Yn eich amser paratoi, ceisiwch feddwl am y math o beth a allai gael ei ofyn i chi.

Bydd yn rhaid i chi hefyd **ofyn** cwestiwn. Gallai hwn fod yn gwestiwn eithaf syml – e.e. **Fumes-tu ?**

Ar yr Haen Sylfaenol, bydd un o'r sbardunau mewn amser gwahanol (y gorffennol fel arfer). Gwrandewch am gliwiau fel ddoe, y llynedd, y penwythnos diwethaf. Ar gyfer yr Haen Uwch, bydd dau sbardun mewn amser gwahanol. Gwrandewch am gliwiau i'ch ysgogi i ddefnyddio'r dyfodol neu'r amodol – e.e. yfory, yr wythnos nesaf, yn y dyfodol.

Yn wahanol i rannau eraill o'r arholiad siarad, fyddwch chi ddim yn cael marciau ychwanegol am ychwanegu manylion pellach, safbwyntiau, etc. Yn y chwarae rôl, dim ond y wybodaeth mae'r pwyntiau bwled yn gofyn amdani mae angen i chi ei rhoi a dim byd arall.

Mae'n bosibl y bydd yn rhaid i chi roi barn neu safbwynt. Does dim gwahaniaeth a ydych chi'n credu hyn neu beidio, cyn belled â'ch bod chi'n dweud rhywbeth.

Ceisiwch ateb mewn brawddeg lawn gan ddefnyddio berf addas – e.e. **Le fast food est super** nid yn unig **super**.

LLUN AR GERDYN

Byddwch chi'n cael eich llun a **dau** gwestiwn ymlaen llaw, felly does dim esgus dros beidio â chael atebion llawn, estynedig yn barod. Fydd eich athro/athrawes ddim eisiau i chi ddarllen sgript, ond dylai fod gennych chi syniad da am beth i'w ddweud. Bydd eich cerdyn yn edrych yn debyg i hyn:

- Décris cette photo. (Sylfaenol)/Qu'est-ce qui se passe sur cette photo ? (Uwch)
- Préfères-tu fêter ton anniversaire en famille ou avec des amis ? Pourquoi ?

Bydd y cwestiwn cyntaf bob amser yn gofyn i chi ddisgrifio'r llun. Nid yw faint yn union dylech chi ei ddweud wedi'i bennu, ond dylech chi anelu at o leiaf **tri** neu **bedwar** o fanylion i gael y marciau uchaf – e.e. Pwy sydd yn y llun? Beth maen nhw'n ei wneud? Ble maen nhw? Pam maen nhw yno? Beth arall sydd yn y llun? Beth rydych chi'n ei feddwl am y llun?

Bydd yr ail gwestiwn fel arfer yn gofyn am farn. Ceisiwch ymhelaethu cymaint ag y gallwch chi. Gwnewch yn siŵr eich bod yn cyfiawnhau ac yn esbonio eich safbwyntiau ac yn rhoi cymaint o wybodaeth â phosibl.

CWESTIYNAU HEB EU GWELD O'R BLAEN

Yna bydd eich athro/athrawes yn gofyn **dau** gwestiwn heb eu gweld o'r blaen. Yn y cwestiwn cyntaf heb ei weld o'r blaen, bydd angen i chi fel arfer roi sylw ar farn – e.e.:

- Je pense que les anniversaires coûtent cher. Qu'en penses-tu ? Rwy'n meddwl bod penblwyddi yn ddrud. Beth yw dy farn di?

Fel arfer, bydd angen ateb y cwestiwn olaf mewn amser gwahanol – e.e.:

- Décris ton dernier anniversaire. Disgrifia dy ben-blwydd diwethaf.

neu

• **Comment serait ton anniversaire idéal?** Sut beth fyddai dy ben-blwydd delfrydol?

Yn ystod eich amser paratoi, ceisiwch feddwl am rai o'r pethau a allai godi yn y cwestiynau heb eu gweld o'r blaen. Gwrandewch yn ofalus ar yr hyn mae'r athro/athrawes yn ei ddweud a pheidiwch â dyfalu – os nad ydych chi'n deall, gofynnwch iddo/iddi ailadrodd y cwestiwn. Fyddwch chi ddim yn colli marciau a bydd hyn yn rhoi mwy o amser i chi feddwl! Does dim rhaid i chi gytuno â barn yr athro/athrawes.

Dyma rai ymadroddion a chwestiynau defnyddiol:

À ton avis	Yn dy farn di
Selon toi	Yn dy feddwl di
Décris	Disgrifia
Justifie ton opinion	Cyfiawnha dy farn
Pourquoi (pas) ?	Pam (ddim)?
Qu'en penses-tu ?/Qu'est-ce que tu en penses ?	Beth rwyt ti'n ei feddwl (am hyn)?
Qu'est-ce que tu préfères ?	Beth sy'n well gen ti?
Qu'est-ce qui se passe ?	Beth sy'n digwydd?
Quels sont les aspects négatifs/positifs ?	Beth yw'r agweddau negyddol/cadarnhaol?
Quels sont les avantages/inconvénients ?	Beth yw'r manteision/anfanteision?

SGWRS

Mae'r sgwrs yn para 3–5 munud (Sylfaenol) a 5–7 munud (Uwch). Mae'n cael ei rhannu'n gyfartal yn ddwy ran.

• Rhan 1 – Byddwch chi'n cael dewis o is-themâu. Byddwch chi'n dechrau'r rhan hon o'r sgwrs drwy ddweud beth rydych chi wedi dewis siarad amdano.
• Rhan 2 – Bydd hon ar thema wahanol ac fe gewch chi ddewis o is-themâu.

Y sgwrs yw eich cyfle chi i ddangos hyd a lled eich gwybodaeth o'r iaith. Does dim rhaid i'r hyn rydych chi'n ei ddweud fod yn ffeithiol gywir cyn belled â bod eich Ffrangeg yn gwneud synnwyr! Mae angen i chi wneud yn siŵr eich bod chi'n gallu rhoi rhai atebion yn yr amser gorffennol, y presennol a'r dyfodol er mwyn cael y marciau uchaf. Ceisiwch roi manylion a safbwyntiau ychwanegol a'u cyfiawnhau lle mae hynny'n bosibl, a chynnwys rhai ymadroddion cymhleth.

Os ewch chi i drafferth …?

• Os nad ydych chi'n deall cwestiwn, gofynnwch i'ch athro/athrawes ei ailadrodd.
• Peidiwch â phoeni os nad ydych chi'n cofio gair arbennig, dywedwch rywbeth arall yn ei le.
• Os ydych chi'n gwneud camgymeriad, mae'n iawn i chi eich cywiro eich hun.

ARHOLIAD GWRANDO

Yn yr arholiad gwrando, gallwch ddisgwyl clywed gwahanol fathau o iaith lafar a allai gynnwys ymsonau (monologau), sgyrsiau, trafodaethau, cyfweliadau, cyhoeddiadau, hysbysebion a negeseuon.

- Cyn i'r arholiad ddechrau, byddwch chi'n cael 5 munud o amser darllen. Peidiwch â gwastraffu'r amser hwn yn ysgrifennu eich enw a'ch rhif ymgeisydd! Defnyddiwch yr amser i ddarllen y cwestiynau'n ofalus ac i wneud yn siŵr eich bod yn gwybod beth mae angen i chi ei wneud, etc. Gwnewch nodyn o unrhyw eiriau allweddol ac ymadroddion a allai fod yn ddefnyddiol.
- Darllenwch y cwestiynau a gwnewch yn siŵr eich bod yn rhoi'r wybodaeth mae'r cwestiynau'n gofyn amdani – e.e. beth, pam, pryd, etc. Rhowch sylw i'r negyddol. Mae'r cwestiwn 'Pa hobi mae hi'n ei hoffi' yn gofyn am ateb gwahanol iawn i 'Pa hobi dydy hi **ddim** yn ei hoffi?'
- Fel arfer bydd y papur yn dechrau â'r cwestiynau hawsaf ac yn mynd yn fwy anodd wedyn.
- Byddwch chi'n clywed pob darn ddwywaith.
- Mae **naw** cwestiwn ond dydyn nhw ddim i gyd yn werth yr un faint o farciau. Mae rhai cwestiynau'n werth 4, 5 a 6 marc felly rhowch ddigon o sylw i'r rhain!
- Gwiriwch yn ofalus faint o farciau sy'n cael eu rhoi ar gyfer y cwestiwn. Os yw'r papur yn gofyn i chi roi tic mewn pedwar blwch, gwnewch yn siŵr nad ydych chi'n ticio mwy na phedwar. Byddwch yn colli marciau os gwnewch chi hynny.
- Darllenwch y cwestiwn yn ofalus a gwrandewch ar y recordiad i glywed unrhyw eiriau allweddol sy'n gysylltiedig â'r cwestiwn. Ewch dros y cwestiwn eto i wneud yn siŵr eich bod yn gwybod yn union beth sy'n cael ei ofyn. Gwrandewch ar y recordiad am yr ail dro. Penderfynwch ar eich ateb terfynol.
- Bydd **dau** gwestiwn yn Ffrangeg ar eich papur. Fyddwch chi ddim yn gwybod lle byddan nhw nes i chi weld eich papur ac mae'n bosibl na fyddan nhw drws nesaf i'w gilydd. Mae'n debyg y byddan nhw'n gofyn am ateb ar ffurf tic neu lythyren, etc. ond efallai y bydd yn rhaid i chi ysgrifennu rhywbeth yn Ffrangeg. Os ysgrifennwch chi yn Gymraeg, fyddwch chi ddim yn cael y marc, hyd yn oed os yw'n gywir. Rhaid i chi ateb yn yr un iaith â'r cwestiwn bob amser.
- Peidiwch â gadael atebion yn wag. Ceisiwch ddyfalu'n synhwyrol!

ARHOLIAD DARLLEN

Yn yr arholiad darllen, gallwch ddisgwyl gweld amrywiaeth o destunau o wahanol hyd, wedi'u hysgrifennu mewn arddulliau ffurfiol ac anffurfiol – e.e. erthyglau cylchgrawn, taflenni gwybodaeth, hysbysebion, testunau llenyddol, etc.

- Fel yn achos yr arholiad gwrando, bydd y papur darllen fel arfer yn dechrau â'r cwestiynau hawsaf ac yn mynd yn fwy anodd yn raddol – ond y cyfieithiad o'r Ffrangeg fydd y cwestiwn olaf bob tro.
- Bydd **dau** gwestiwn am destunau llenyddol. Peidiwch â phoeni gormod am y rhain – dylech chi eu trin nhw fel unrhyw gwestiwn darllen arall.
- Byddwch chi'n cael **tri** chwestiwn yn Ffrangeg ac, fel gyda'r arholiad gwrando, gallen nhw fod unrhyw le ar y papur. Fyddwch chi ddim yn gwybod lle byddan nhw nes i chi weld eich papur ac mae'n bosibl na fyddan nhw drws nesaf i'w gilydd. Mae'n debyg y byddan nhw'n gofyn am ateb ar ffurf tic neu lythyren, etc. ond efallai y bydd yn rhaid i chi ysgrifennu rhywbeth yn Ffrangeg. Os ysgrifennwch chi yn Gymraeg, fyddwch chi ddim yn cael y marc, hyd yn oed os yw'n gywir. Rhaid i chi ateb yn yr un iaith â'r cwestiwn bob amser.
- Darllenwch y cwestiwn yn ofalus ac edrychwch yn sydyn drwy'r testun am unrhyw eiriau allweddol sy'n gysylltiedig â'r cwestiwn. Ewch dros y cwestiwn eto i wneud yn siŵr eich bod yn gwybod yn union beth sy'n cael ei ofyn.
- Ar gyfer yr Haen Sylfaenol, mae'r cwestiynau i gyd yn werth 6 marc ond ar yr Haen Uwch bydd rhai cwestiynau 8 marc mwy anodd ar ddiwedd y papur.
- Peidiwch â gadael unrhyw gwestiynau heb eu hateb – ceisiwch ddiystyru unrhyw ddewisiadau rydych chi'n siŵr eu bod nhw'n anghywir cyn dyfalu'n gall.
- Yn y cyfieithiad, peidiwch â chyfieithu'r testun air am air – gwnewch yn siŵr bod eich cyfieithiad yn gwneud synnwyr yn yr iaith darged – a gwiriwch eich bod yn cyfieithu'r amserau yn gywir.
- Gwiriwch yn ofalus faint o farciau sy'n cael eu rhoi ar gyfer y cwestiwn. Os yw'r papur yn gofyn i chi roi tic mewn pedwar blwch, gwnewch yn siŵr nad ydych chi'n ticio mwy na phedwar. Byddwch chi'n colli marciau am hyn.

Dyma'r mathau o gyfarwyddiadau a allai gael eu defnyddio yn yr arholiadau gwrando a darllen:

Choisis la réponse correcte/la bonne réponse	Dewis yr ateb cywir
Coche (✓) la bonne case	Ticia (✓) y blwch cywir
Coche (✓) les trois bonnes cases	Ticia (✓) y tri blwch cywir
Complète les phrases/les informations en français	Cwblha'r brawddegau/y wybodaeth yn Ffrangeg
Complète les phrases avec les mots de la liste	Cwblha'r brawddegau â'r geiriau o'r rhestr
Écoute/Lis cette annonce	Gwranda ar/Darllena'r cyhoeddiad/hysbysiad hwn
Écoute/Lis cette interview/cet article/ce passage/ cette conversation/ce reportage	Gwranda ar/Darllena'r cyfweliad hwn/yr erthygl hon/y darn hwn/y sgwrs hon/yr adroddiad hwn

Écris deux détails	Ysgrifenna ddau fanylyn
Écris le bon prénom dans la case	Ysgrifenna'r enw cyntaf cywir yn y blwch
Écris la lettre dans la bonne case	Ysgrifenna'r llythyren yn y blwch cywir
Écris la bonne lettre dans chaque case	Ysgrifenna'r llythyren gywir ym mhob blwch
Il faut remplir six cases seulement	Mae angen llenwi chwe blwch yn unig
Remplis les blancs	Llenwa'r bylchau
Qui... ?	Pwy …?
Réponds aux questions en français	Ateb y cwestiynau yn Ffrangeg

ARHOLIAD YSGRIFENNU

Yn yr arholiad ysgrifennu, ceisiwch gadw'r pwyntiau canlynol mewn cof:

- Gwiriwch faint o farciau sydd ar gael ar gyfer pob cwestiwn er mwyn gwybod sut i rannu eich amser.
- Edrychwch faint o eiriau maen nhw'n argymell eich bod chi'n eu hysgrifennu.
- Gwnewch gynllun cyn dechrau ysgrifennu.
- Gadewch amser i wirio eich gwaith bob tro.

Gwnewch yn siŵr eich bod:

- Wedi bod yn gyson wrth sillafu.
- Wedi defnyddio'r genedl gywir ar gyfer enwau.
- Wedi defnyddio amserau'r ferf yn briodol.
- Wedi defnyddio'r terfyniadau cywir ar gyfer berfau.
- Wedi cynnwys ystod o strwythurau brawddeg a geirfa.
- Wedi defnyddio ystod o farnau a rhesymau drostyn nhw.

Sylfaenol: Mae'r arholiad hwn yn cael ei rannu yn bedwar cwestiwn.
- Cwestiwn 1 – Bydd yn rhaid i chi ysgrifennu chwe brawddeg fer yn Ffrangeg am y penawdau sydd wedi'u darparu. Byr a syml yw'r nod!
- Cwestiwn 2 – Bydd yn rhaid i chi ysgrifennu cyfanswm o tua 50 gair am y tri phwynt bwled fydd wedi'u darparu. Ceisiwch ysgrifennu'r un faint ar gyfer pob pwynt bwled a gwnewch yn siŵr eich bod yn cynnwys safbwyntiau.
- Cwestiwn 3 – Bydd yn rhaid i chi ysgrifennu cyfanswm o tua 100 gair am y tri phwynt bwled fydd wedi'u darparu. Bydd disgwyl i chi ddefnyddio amserau gwahanol yn y cwestiwn hwn.
- Cwestiwn 4: Cyfieithu – Bydd yn rhaid i chi gyfieithu pum brawddeg i'r Ffrangeg.

Uwch: Mae'r arholiad hwn yn cael ei rannu yn dri chwestiwn.
- Cwestiwn 1 – Bydd yn rhaid i chi ysgrifennu cyfanswm o tua 100 gair am y tri phwynt bwled fydd wedi'u darparu. Bydd disgwyl i chi ddefnyddio amserau gwahanol yn y cwestiwn hwn.
- Cwestiwn 2 – Bydd yn rhaid i chi ysgrifennu tua 150 o eiriau. Mae dewis o ddau deitl (**peidiwch** ag ysgrifennu ateb i'r ddau!). Bydd disgwyl i chi gyfiawnhau eich syniadau a'ch safbwyntiau a defnyddio amrywiaeth o amserau.
- Cwestiwn 3: Cyfieithu – Bydd yn rhaid i chi gyfieithu paragraff i'r Ffrangeg.

Dyma'r mathau o gyfarwyddiadau a allai gael eu defnyddio yn yr arholiad ysgrifennu. Mae'r enghreifftiau hyn i gyd yn defnyddio'r ffurf **tu**, ond efallai y cewch chi rai cyfarwyddiadau sy'n defnyddio'r ffurf **vous** os yw'r arholwyr am i chi ysgrifennu darn o Ffrangeg mwy ffurfiol – e.e. llythyr cais am swydd.

Choisis...	Dewis ...
Complète la fiche en français	Llenwa'r ffurflen yn Ffrangeg
Tu dois écrire une phrase complète	Mae'n rhaid i ti ysgrifennu brawddeg lawn
Donne des informations et des opinions au sujet de...	Rho wybodaeth a safbwyntiau am ...
Écris environ 50 mots en français	Ysgrifenna tua 50 gair yn Ffrangeg
Écris environ 150 mots en français	Ysgrifenna tua 150 gair yn Ffrangeg
Tu dois expliquer...	Mae'n rhaid i ti esbonio ...
Tu dois mentionner...	Mae'n rhaid i ti grybwyll (sôn am) ...
Présente et justifie tes idées et points de vue	Cyflwyna a chyfiawnha dy syniadau a'th safbwyntiau
... sur un des thèmes ci-dessous	... ar un o'r themâu isod
Tu reçois un e-mail/une lettre	Rwyt ti'n derbyn e-bost/llythyr
Réponds en français	Ateb yn Ffrangeg
Tu dois inclure...	Rhaid i ti gynnwys ...
Tu peux inclure plus d'informations	Rwyt ti'n gallu cynnwys mwy o wybodaeth

RHIFAU

RHIFOLION

Dechreuwch drwy ddysgu'r rhifau 0–30:

0	zéro	8	huit	16	seize	24	vingt-quatre
1	un	9	neuf	17	dix-sept	25	vingt-cinq
2	deux	10	dix	18	dix-huit	26	vingt-six
3	trois	11	onze	19	dix-neuf	27	vingt-sept
4	quatre	12	douze	20	vingt	28	vingt-huit
5	cinq	13	treize	21	vingt et un	29	vingt-neuf
6	six	14	quatorze	22	vingt-deux	30	trente
7	sept	15	quinze	23	vingt-trois		

Nesaf, gwnewch yn siŵr eich bod yn gallu cyfrif fesul deg hyd at 100:

10	dix
20	vingt
30	trente
40	quarante
50	cinquante
60	soixante
70	soixante-dix
80	quatre-vingts
90	quatre-vingt-dix
100	cent

Gwnewch yn siŵr eich bod yn gallu llenwi'r bylchau rhwng 31 a 100. Mae'r un patrwm yn parhau yr holl ffordd hyd at 69:

31	trente et un	35	trente-cinq	39	trente-neuf
32	trente-deux	36	trente-six	40	quarante
33	trente-trois	37	trente-sept		
34	trente-quatre	38	trente-huit		

Yna, dyma'r patrwm:

70	soixante-dix
71	soixante et onze

Mae'r patrwm hwn yn parhau hyd at 79. Yna mae'n parhau fel hyn:

80	quatre-vingts
81	quatre-vingt-un
82	quatre-vingt-deux

Mae'r patrwm hwn yn parhau hyd at 89. Yna, dyma'r patrwm:

90   quatre-vingt-dix
91   quatre-vingt-onze

Mae'r patrwm hwn yn parhau hyd at 99. O 100 ymlaen mae'n:

100	cent
101	cent un
200	deux cents
211	deux cent onze
1000	mille
2000	deux mille
1,000,000	un million

Dyma rifau a meintiau defnyddiol eraill:

une dizaine	tua deg
une douzaine	tua deuddeg, dwsin

TREFNOLION (CYNTAF, AIL, TRYDYDD, ETC.)

premier/première	cyntaf
deuxième	ail
troisième	trydydd, trydedd
quatrième	pedwerydd, pedwaredd
cinquième	pumed
sixième	chweched
septième	seithfed
huitième	wythfed
neuvième	nawfed
dixième	degfed

Fel arfer, mae trefnolion yn mynd o flaen yr enw ac yn gweithio fel ansoddeiriau. Mewn geiriau eraill, mae angen iddyn nhw gytuno â'r enwau maen nhw'n eu disgrifio – e.e. mes **premiers** jours (fy nyddiau **cyntaf**).

DYDDIADAU

DYDDIAU'R WYTHNOS

Does dim angen priflythyren ar ddyddiau'r wythnos yn Ffrangeg.

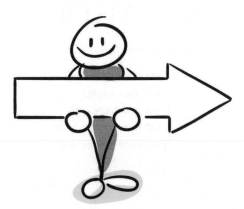

lundi	dydd Llun
mardi	dydd Mawrth
mercredi	dydd Mercher
jeudi	dydd Iau
vendredi	dydd Gwener
samedi	dydd Sadwrn
dimanche	dydd Sul

Y MISOEDD

Fel yn achos dyddiau'r wythnos, does dim angen priflythyren ar y misoedd.

janvier	Ionawr
février	Chwefror
mars	Mawrth
avril	Ebrill
mai	Mai
juin	Mehefin
juillet	Gorffennaf
août	Awst
septembre	Medi
octobre	Hydref
novembre	Tachwedd
décembre	Rhagfyr

I fynegi 'yn ystod mis penodol', defnyddiwch yr arddodiad **en** – e.e. Je vais en Italie **en** mars. (Rwy'n mynd i'r Eidal **ym** mis Mawrth.)

Y TYMHORAU

le printemps	gwanwyn
l'été	haf
l'automne	hydref
l'hiver	gaeaf
au printemps	yn y gwanwyn
en été	yn yr haf
en automne	yn yr hydref
en hiver	yn y gaeaf

DYDDIADAU

- Defnyddiwch rifau arferol ar gyfer dyddiadau – e.e. **le six juin** (y chweched o Fehefin, **le trente août** (y degfed ar hugain o Awst).
- Defnyddiwch **le premier** ar gyfer diwrnod cyntaf y mis – e.e. **le premier janvier** (y cyntaf o Ionawr).

YR AMSER

Mae'r ferf **être** yn cael ei defnyddio i ddweud faint o'r gloch yw hi:

Il **est** une heure	Mae hi'n un o'r gloch
Il **est** deux heures	Mae hi'n ddau o'r gloch
Il **est** une heure cinq	Mae hi'n bum munud wedi un
Il **est** trois heures douze	Mae hi'n ddeuddeg munud wedi tri
Il **est** onze heures vingt	Mae hi'n ugain munud wedi un ar ddeg

Gallwch chi dynnu'r munudau oddi wrth yr awr (e.e. deng munud i, pum munud i) drwy ddefnyddio'r gair moins (llai):

Il est une heure **moins** dix   Mae hi'n ddeng munud i un

Il est trois heures **moins** vingt-cinq   Mae hi'n bum munud ar hugain i dri

Rydych chi'n defnyddio et demi(e) (hanner awr wedi) **et quart** (chwarter wedi) a **moins le quart** (chwarter i):

Il est une heure **et demie**   Mae hi'n hanner awr wedi un

Il est dix heures **et quart**   Mae hi'n chwarter wedi deg

Il est trois heures **moins le quart**   Mae hi'n chwarter i dri

Sylwch:

12.00	Il est midi
12.30	Il est midi et **demi**
00.00	Il est minuit
00.30	Il est minuit et **demi**
14.00	Il est quatorze heures

GOFYN CWESTIYNAU

Cofiwch fod tair ffordd sylfaenol o ofyn cwestiynau yn Ffrangeg.

1. Codi eich llais ar ddiwedd y gosodiad fel y bydd yn troi'n gwestiwn e.e. **Tu vas au restaurant ce soir ?**
2. Rhoi **Est-ce que** o flaen y frawddeg – e.e. **Est-ce que tu vas au restaurant ce soir ?**
3. Newid trefn y goddrych a'r ferf – e.e. **Vas-tu au restaurant ce soir ?**

Dyma restr o'r geiriau cwestiwn sy'n cael eu defnyddio amlaf:

Comment ?	Sut?
Que ?	Beth?
Qui ?	Pwy?
Où ?	Ble?
Quel/quelle/quels/quelles ?	Pa? Beth?
Quand ?	Pryd?
Pourquoi ?	Pam?
D'où ?	O ble?
Combien ?	Faint? Sawl un?

HUNANIAETH A DIWYLLIANT

DIWYLLIANT IEUENCTID

Mae is-thema **Diwylliant Ieuenctid** yn cael ei rhannu yn ddwy ran. Dyma rai awgrymiadau am bynciau i'w hadolygu:

YR HUNAN A PHERTHNASOEDD

- perthnasoedd teuluol
- cyfeillgarwch
- ymddangosiad corfforol a hunanddelwedd
- ffasiwn a thueddiadau
- diwylliant pobl enwog
- problemau pobl ifanc a'r pwysau arnyn nhw
- priodas

TECHNOLEG A CHYFRYNGAU CYMDEITHASOL

- mathau gwahanol o dechnoleg – e.e. tabledi, ffonau symudol, watshys clyfar
- manteision ac anfanteision technoleg
- manteision ac anfanteision y cyfryngau cymdeithasol – e.e. seiberfwlio
- effaith y cyfryngau cymdeithasol
- gemau cyfrifiadur
- dyfodol technoleg
- sut rydych chi'n defnyddio technoleg

AWGRYMIADAU CYFIEITHU

Y GYMRAEG I'R FFRANGEG

- Peidiwch â chyfieithu brawddegau air am air!
- Gwiriwch eich bod yn cyfieithu amser y ferf yn gywir.

Y FFRANGEG I'R GYMRAEG

- Peidiwch â chyfieithu'r testun air am air – does dim rhaid i chi gael yr un nifer o eiriau yn eich cyfieithiad ag sydd yn y testun gwreiddiol.

- Peidiwch â methu geiriau bach ond rhai pwysig – e.e. iawn, yn aml, byth/erioed.
- Gwnewch yn siŵr eich bod yn cyfieithu ystyr cywir yr amser – e.e. Rwy'n chwarae, Roeddwn i'n chwarae, Byddaf i'n chwarae, Byddwn i'n chwarae. Weithiau gall geiriau ac ymadroddion allweddol – e.e. ddoe, yn y dyfodol, yn ddiweddarach, fel arfer – eich helpu i adnabod amser y ferf.

Décris ta famille.
Disgrifia dy deulu.

J'ai une sœur qui s'appelle Sophie. Je m'entends bien avec elle parce qu'on aime la même musique. Elle est toujours amusante. J'ai aussi un frère qui est plus vieux que moi. Je pense que mes parents sont trop stricts et c'est vraiment énervant.
Mae gen i chwaer o'r enw Sophie. Rwy'n cyd-dynnu'n dda â hi gan ein bod ni'n hoffi'r un gerddoriaeth. Mae hi bob amser yn ddoniol. Mae gen i frawd hefyd sy'n hŷn na fi. Rwy'n meddwl bod fy rhieni yn rhy lym ac mae hynny'n ddiflas.

Qu'est-ce que tu as fait avec tes amis le weekend dernier ?
Beth wnest ti gyda dy ffrindiau y penwythnos diwethaf?

Vendredi dernier, je suis allé(e) au cinéma avec mes copains de classe. Après avoir vu le film, nous sommes allés au restaurant. Nous avons mangé une pizza.
Dydd Gwener diwethaf, es i i'r sinema gyda fy ffrindiau ysgol. Ar ôl gwylio'r ffilm, aethon ni i fwyty. Bwyton ni pizza.

La mode, c'est important pour toi ?
Ydy ffasiwn yn bwysig i ti?

Oui, bien sûr. Je m'inspire des mannequins et des célébrités et j'adore acheter des vêtements. Plus tard, je voudrais travailler dans l'industrie de la mode.
Ydyn, wrth gwrs. Rwy'n cael fy ysbrydoli gan fodelau a phobl enwog ac rydw i wrth fy modd yn prynu dillad. Yn nes ymlaen, hoffwn i weithio yn y diwydiant ffasiwn.

Est-ce qu'il y a une célébrité que tu admires ? Pourquoi ?
Oes person enwog rwyt ti'n ei edmygu? Pam?

J'admire Ed Sheeran parce qu'il chante bien. L'année dernière j'ai assisté à son concert. C'était fantastique.
Rwy'n edmygu Ed Sheeran am ei fod yn canu'n dda. Y llynedd, es i i'w gyngerdd. Roedd hi [y gyngerdd] yn wych.

Comment serait ton petit ami/ta petite amie idéal(e) ?
Sut un fyddai dy gariad delfrydol?

Il/elle aurait un bon travail et il/elle serait riche et généreux/généreuse. À mon avis, avoir le sens de l'humour est important aussi.
Byddai ganddo/ganddi swydd dda a byddai'n gyfoethog ac yn hael. Yn fy marn i, mae'n bwysig cael synnwyr digrifwch.

Ceisiwch ddefnyddio amrywiaeth o ran geirfa a phatrymau.

Does dim angen (a bydd amser yn brin) disgrifio lliw gwallt, llygaid, pob aelod o'ch teulu, etc. Gallai'r eirfa byddwch chi'n ei defnyddio fynd yn ailadroddus iawn.

Mae perygl i'r pwnc hwn fynd yn rhy ddisgrifiadol a dibynnu'n bennaf ar yr amser presennol. Ceisiwch gynnwys rhai safbwyntiau – beth rydych chi'n ei feddwl am wahanol aelodau o'r teulu? Sut rydych chi'n cyd-dynnu â nhw? Pam?

Dywedwch beth wnaethoch chi/beth rydych chi'n mynd i'w wneud gyda'ch teulu er mwyn dangos eich bod yn gyfarwydd ag amserau gwahanol y ferf.

GRAMADEG

Mae tri phwynt pwysig am ansoddeiriau yn Ffrangeg:

1. Gwiriwch derfyniad yr ansoddair. Ydy e'n unigol (e.e. le garçon intelligent) neu'n lluosog (e.e. les garçons intelligents)?
2. Gwiriwch fod yr ansoddair yn y lle cywir. Mae'r rhan fwyaf o ansoddeiriau yn dilyn yr enw yn Ffrangeg (cymerwch ofal – mae rhai eithriadau!).
3. Gwiriwch gytundeb yr ansoddair. A yw'r enw'n wrywaidd (e.e. le garçon intelligent) neu'n fenywaidd (e.e. la fille intelligente)?

Cyfieithwch y brawddegau canlynol i'r Gymraeg:

TASG ARHOLIAD

1. Ma tante est amusante, sympa et sportive.
2. Quand j'étais plus jeune, j'avais beaucoup d'amis.
3. Mon meilleur ami s'entend bien avec ses parents.
4. Quelles sont les qualités d'un bon ami ?

Ydych chi wedi cyfieithu'r wybodaeth i gyd?
Ydy'r frawddeg rydych chi wedi'i hysgrifennu yn gwneud synnwyr yn Gymraeg?

Je m'intéresse à la mode.	Mae gen i ddiddordeb mewn ffasiwn.
Je préfère porter des vêtements de marques.	Mae'n well gen i wisgo dillad dylunwyr.
La vie des célébrités me fascine.	Rwy'n cael fy swyno gan fywyd pobl enwog.
J'adore suivre les styles dans les magazines.	Rydw i wrth fy modd yn dilyn y steiliau yn y cylchgronau.
Je voudrais me marier à l'avenir.	Hoffwn i briodi yn y dyfodol.
Selon moi, avoir une famille est très important.	Yn fy marn i, mae cael teulu yn bwysig iawn.
En ce qui me concerne, la mode coute trop cher.	O'm rhan i, mae ffasiwn yn rhy ddrud.
Ma petite amie/Mon petit ami ideal serait/ferait/aurait...	Byddai fy nghariad delfrydol yn .../yn gwneud ... Byddai ganddo/ganddi …
Je peux lui parler de tout.	Gallaf siarad ag ef/hi am bopeth.
Il y a quelquefois des disputes.	Weithiau, mae ffraeo/dadlau.
Mes parents s'inquiètent trop.	Mae fy rhieni'n poeni gormod.
Je peux toujours compter sur lui/elle.	Rwy'n gallu dibynnu arno ef/arni hi bob amser.
On se dispute rarement.	Yn anaml rydyn ni'n dadlau.
Nous bavardons tout le temps.	Rydyn ni'n siarad drwy'r amser.
Je ressemble à ma sœur.	Rwy'n debyg i fy chwaer.
Mes amis disent que j'ai le sens de l'humour.	Mae fy ffrindiau'n dweud bod gen i synnwyr digrifwch.
Les jeunes d'aujourd'hui ont beaucoup de problèmes.	Mae gan bobl ifanc heddiw lawer o broblemau.
Je pense que les célébrités influencent les jeunes.	Rwy'n meddwl bod pobl enwog yn dylanwadu ar bobl ifanc.
J'ai l'intention de vivre avec mes amis.	Rwy'n bwriadu byw gyda fy ffrindiau.
Je m'entends bien avec ma sœur.	Rwy'n cyd-dynnu'n dda â'm chwaer.
Je me dispute souvent avec mes parents.	Rwy'n dadlau'n aml â'm rhieni.
Il/Elle me critique tout le temps.	Mae ef/hi yn fy meirniadu drwy'r amser.

Defnyddiwch ac addaswch ymadroddion
fel y rhain yn eich arholiadau siarad ac
ysgrifennu er mwyn cael marciau uwch.

**Décris cette photo. (Sylfaenol)/Qu'est-ce qui se passe sur cette photo ?
(Uwch)**

Sur cette photo il y a un groupe d'élèves. Ils sont au collège et ils ne portent pas
d'uniforme. Je pense qu'ils bavardent au sujet de la fille qui est seule. Je crois
qu'elle est victime de harcèlement scolaire. En plus, elle est triste parce qu'elle n'a
pas d'amis.

Yn y llun, mae grŵp o fyfyrwyr. Maen nhw yn yr ysgol a dydyn nhw ddim yn
gwisgo gwisg ysgol. Rwy'n meddwl eu bod nhw'n clebran am y ferch sydd ar ei
phen ei hun. Rwy'n credu ei bod hi'n cael ei bwlio yn yr ysgol. Yn ogystal, mae
hi'n drist achos does ganddi hi ddim ffrindiau.

Nawr, a allwch chi ateb y cwestiynau hyn eich hun?

- Comment sont tes amis ? Sut rai yw dy ffrindiau?
- Les amis sont plus importants que la famille. Qu'en penses-tu ? Mae ffrindiau
  yn bwysicach na'r teulu. Beth yw dy farn di?
- Qu'est-ce que tu vas faire avec ta famille le weekend prochain ? Beth rwyt ti'n
  mynd i'w wneud gyda dy deulu y penwythnos nesaf?

TECHNOLEG A CHYFRYNGAU CYMDEITHASOL

Quel est ton site web préféré et pourquoi ?
Pa un yw dy hoff wefan a pham?

Je préfère Google parce que je l'utilise pour faire des recherches pour mes devoirs et mes projets scolaires.
Mae'n well gen i Google oherwydd rwy'n ei ddefnyddio i wneud ymchwil ar gyfer fy ngwaith cartref a'm projectau ysgol.

Pour quelles raisons utilises-tu les réseaux sociaux ?
Ar gyfer beth rwyt ti'n defnyddio'r cyfryngau cymdeithasol?

J'adore utiliser les réseaux sociaux pour partager mes idées, rester en contact avec mes copains et me tenir au courant de tout ce qui se passe au collège.
Rydw i wrth fy modd yn defnyddio'r cyfryngau cymdeithasol i rannu fy syniadau, i fod mewn cysylltiad â'm ffrindiau ac i dderbyn y wybodaeth ddiweddaraf am beth sy'n digwydd yn yr ysgol.

Quels sont les aspects négatifs de la technologie ?
Beth yw agweddau negyddol technoleg?

La technologie peut être dangereuse, parce qu'on peut rencontrer des personnes en ligne qui peuvent mentir au sujet de leur âge ou leur nom. Nous devrions faire attention à qui nous parlons.
Gall technoleg fod yn beryglus oherwydd gallwch gyfarfod â phobl ar lein sy'n dweud celwydd am eu hoedran neu eu henw. Dylen ni fod yn ofalus â phwy rydyn ni'n siarad.

Quelle technologie as-tu utilisée hier ?
Pa dechnoleg ddefnyddiaist ti ddoe?

J'ai envoyé des textos à mes amis et j'ai lu un blog. Après avoir fait mes devoirs sur l'ordinateur, j'ai téléchargé un film.
Anfonais i negeseuon testun at fy ffrindiau ac fe ddarllenais i flog. Ar ôl gwneud fy ngwaith cartref ar y cyfrifiadur, llwythais i ffilm i lawr.

Pourrais-tu vivre sans portable ?
Allet fi fyw heb ffôn symudol?

Pour la plupart des jeunes, un portable est essentiel. Personnellement, je ne pourrais pas vivre sans mon portable parce que je l'utilise pour tout. Je suis vraiment accro ! I'r rhan fwyaf o bobl ifanc, mae ffôn symudol yn hanfodol. Yn bersonol, allwn i ddim byw heb fy ffôn symudol oherwydd rwy'n ei ddefnyddio ar gyfer popeth! Rydw i wir yn gaeth iddo!

Gyda lwc, bydd gennych chi ddigon i'w ddweud am y pwnc hwn!
Efallai eich bod chi'n caru technoleg cymaint fel na allwch chi feddwl am unrhyw anfanteision neu broblemau, ond mae'n bwysig eich bod chi'n gallu cynnig amrywiaeth o safbwyntiau. Dysgwch sawl ffordd o roi barn – e.e. **c'est** (mae), **je pense que** (rwy'n meddwl bod), **je trouve que** (mae'n ymddangos i mi bod), **à mon avis** (yn fy marn i), **en ce qui me concerne** (o'm rhan i), **selon moi** (yn fy marn i) – a cheisiwch ddefnyddio amrywiaeth o ansoddeiriau. Gall arholwyr flino clywed bod popeth yn **intéressant** (diddorol) neu'n **ennuyeux** (diflas).

TASG ARHOLIAD

Atebwch y cwestiynau yn Gymraeg.
Un portable permet aux jeunes de se connecter avec leurs amis et favorise l'autonomie[1]. Les jeunes font des échanges avec leurs amis par SMS, MMS et sur les réseaux sociaux. Les portables servent aussi pour la conversation avec leurs meilleurs amis. Il est essentiel pour les jeunes de construire[2] des liens sociaux. Les adolescents envoient en moyenne[3] quatre-vingts SMS par jour. Soixante-huit pour cent des enfants envoient des textos plusieurs fois par jour.

1 annibyniaeth
2 adeiladu, creu
3 ar gyfartaledd

1. Ysgrifennwch **ddwy** fantais o gael ffôn symudol.
2. Ysgrifennwch **dair** ffordd mae pobl ifanc yn defnyddio eu ffonau symudol.
3. Faint o negeseuon testun mae person ifanc yn eu hanfon bob dydd?
   (a) 24
   (b) 80
   (c) 68

Cadwch olwg am gliwiau ffug (geiriau mae'r arholwyr yn eu rhoi i geisio eich twyllo chi)! Mae mwy nag un rhif yn cael ei grybwyll yn y testun hwn.

TECHNOLEG A CHYFRYNGAU CYMDEITHASOL

Mes parents disent que je passe trop de temps sur mon portable.	Mae fy rhieni'n dweud fy mod i'n treulio gormod o amser ar fy ffôn symudol.
Je pense qu'Internet est très utile.	Rwy'n meddwl bod y rhyngrwyd yn ddefnyddiol iawn.
Mes parents font des achats en ligne.	Mae fy rhieni yn siopa ar lein.
J'utilise mon portable pour télécharger et pour écouter de la musique.	Rwy'n defnyddio fy ffôn symudol i lwytho i lawr ac i wrando ar gerddoriaeth.
Le weekend dernier j'ai posté des photos sur les réseaux sociaux.	Y penwythnos diwethaf, postiais i luniau ar y cyfryngau cymdeithasol.
J'aime rencontrer des gens en ligne.	Rwy'n hoffi cyfarfod â phobl ar lein.
La technologie joue un rôle important dans la vie des jeunes.	Mae technoleg yn chwarae rhan bwysig ym mywyd pobl ifanc.
Je pense que la technologie simplifie la vie quotidienne.	Rwy'n meddwl bod technoleg yn gwneud bywyd pob dydd yn symlach.
Ma mère croit que les réseaux sociaux sont une perte de temps.	Mae fy mam yn meddwl bod y cyfryngau cymdeithasol yn wastraff amser.
Il est facile de se faire passer pour quelqu'un d'autre.	Mae'n hawdd esgus eich bod chi'n rhywun arall.
La cyberintimidation est un problème très inquiétant.	Mae seiberfwlio yn broblem sy'n peri llawer o ofid.
Un risque potentiel est le harcèlement sur Internet.	Mae bwlio ar y rhyngrwyd yn un risg posibl.
Je crois qu'une vie sans la technologie serait très ennuyeuse.	Rwy'n meddwl y byddai bywyd heb dechnoleg yn ddiflas iawn.
Les portables sont très faciles à voler.	Mae ffonau symudol yn hawdd iawn eu dwyn.
Il ne faut pas révéler les détails de sa vie intime.	Ddylech chi ddim datgelu manylion am eich bywyd preifat.

GRAMADEG

Ffurfiau negyddol

Mae'n hawdd ffurfio brawddegau negyddol yn Ffrangeg. Ceisiwch gynnwys rhai yn eich gwaith – e.e. Je **ne** joue **pas** sur ma tablette.

Dyma rai o'r ffurfiau negyddol cyffredin bydd angen i chi eu deall:

> ne... pas – ni(d), na(d), ddim
> ne... jamais – byth, erioed
> ne... plus – bellach, erbyn hyn, mwyach
> ne... que – dim ond
> ne... rien – dim, dim byd

TASG ARHOLIAD

Ysgrifennwch frawddeg lawn yn Ffrangeg ar gyfer pob un o'r penawdau:

- eich ffôn symudol
- gemau cyfrifiadur
- cyfryngau cymdeithasol
- technoleg – eich barn
- cerddoriaeth
- y rhyngrwyd – anfantais

Does dim angen ysgrifennu brawddeg gymhleth iawn. Gall brawddeg syml gael marciau llawn hyd yn oed os oes rhai mân wallau ynddi. Nid un ateb cywir yn unig sydd – e.e. ar gyfer y pwynt bwled cyntaf gallech chi ddweud:

> Mon portable est petit. Mae fy ffôn symudol yn fach.

Neu gallech chi hyd yn oed ddefnyddio brawddeg negyddol:

> Je n'ai pas de portable. Does gen i ddim ffôn symudol.

HUNANIAETH A DIWYLLIANT

FFORDD O FYW

Mae is-thema **Ffordd o Fyw** yn cael ei rhannu yn ddwy ran. Dyma rai awgrymiadau am bynciau i'w hadolygu:

IECHYD A FFITRWYDD

- bwyta'n iach
- problemau iechyd – e.e. straen, clefydau
- ffordd aniach o fyw (*unhealthy lifestyle*) – e.e. cyffuriau, alcohol, ysmygu
- chwaraeon ac ymarfer
- manteision ffordd iach o fyw

ADLONIANT A HAMDDEN

- cerddoriaeth
- sinema
- teledu
- siopa
- bwyta allan
- gweithgareddau cymdeithasol a hobïau
- cydbwysedd gwaith–bywyd

COFIWCH:

Mae'n bwysig adolygu cwestiynau yn gyson – cofiwch y bydd yn rhaid i chi ateb cwestiynau dydych chi ddim wedi gallu eu rhagweld yn eich arholiad siarad a bydd yn rhaid i chi ofyn cwestiwn yn yr amser presennol yn y chwarae rôl. Mae'n rhaid i chi hefyd siarad am ddigwyddiadau yn y gorffennol, y presennol a'r dyfodol yn y drafodaeth am y llun ar gerdyn a'r sgwrs. Mae'n bwysig iawn eich bod yn adnabod cwestiynau mewn amserau gwahanol – e.e. Que fais-tu d'habitude ? (Beth rwyt ti'n ei wneud fel arfer?), Qu'est-ce que tu as fait hier ? (Beth wnest ti ddoe?), Que feras-tu demain ? (Beth byddi di'n ei wneud yfory?). Ceisiwch wrando am ymadroddion amser – e.e. demain (yfory), hier (ddoe), etc. – a fydd yn eich helpu i ateb yn yr amser cywir.

Que fais-tu pour rester en forme ?
Beth rwyt ti'n ei wneud i gadw'n heini?

Je fais beaucoup de choses pour rester en forme. J'essaie de faire du sport trois ou quatre fois par semaine et je mange sainement. Après mes examens, je m'entraînerai tous les jours.
Rwy'n gwneud llawer o bethau i gadw'n heini. Rwy'n ceisio gwneud chwaraeon dair neu bedair gwaith yr wythnos ac rwy'n bwyta'n iach. Ar ôl fy arholiadau, byddaf i'n hyfforddi bob dydd.

Tu préfères faire du sport ou regarder le sport ? Pourquoi ?
Pa un sy'n well gen ti, chwarae neu wylio chwaraeon? Pam?

J'aime les deux ! Je suis une personne très sportive et je fais partie de plusieurs équipes. Cependant, j'adore regarder les matchs de foot au stade ou à la télé.
Rwy'n hoffi'r ddau! Rwy'n hoff iawn o chwaraeon ac rwy'n aelod o sawl tîm. Ond, rydw i wrth fy modd yn gwylio gemau pêl-droed yn y stadiwm neu ar y teledu.

Qu'est-ce qui est mauvais pour la santé ?
Beth sy'n ddrwg i'ch iechyd?

Il ne faut pas fumer parce que cela peut causer des maladies graves comme le cancer des poumons. Boire de l'alcool est mauvais pour la santé aussi. Malheureusement, beaucoup de jeunes pensent que ce n'est pas un problème de boire un peu trop.
Ddylech chi ddim ysmygu gan ei fod yn gallu achosi afiechydon difrifol fel canser yr ysgyfaint. Mae yfed alcohol yn ddrwg i'ch iechyd hefyd. Yn anffodus, mae llawer o bobl ifanc yn meddwl nad yw yfed ychydig yn ormod yn broblem.

Que feras-tu à l'avenir pour manger plus sainement ?
Beth byddi di'n ei wneud yn y dyfodol i fwyta'n fwy iach?

Je vais essayer de manger plus de fruits et j'aimerais éviter la nourriture grasse. J'essaierai de manger un bon petit déjeuner tous les jours et je mangerai moins de chocolat.
Rwy'n mynd i geisio bwyta mwy o ffrwythau a byddwn i'n hoffi osgoi bwyd llawn braster. Rwy'n mynd i geisio bwyta brecwast da bob dydd ac rydw i am fwyta llai o siocled.

> Qu'est-ce que tu as fait le weekend dernier pour garder la forme ?
> Beth wnest ti y penwythnos diwethaf i gadw'n heini?

> Samedi matin j'ai fait du jogging avec mon frère puis nous sommes allés au centre sportif pour faire de la natation. C'était fatigant !
> Bore Sadwrn, es i i loncian gyda fy mrawd, yna aethon ni i'r ganolfan chwaraeon i nofio. Roedd e'n waith blinedig!

GRAMADEG

Rhagenwau perthynol

Rhagenw perthynol yw gair sy'n cael ei ddefnyddio i gysylltu dwy ran o frawddeg â'i gilydd wrth gyfeirio'n ôl at rywbeth y soniwyd amdano ar y dechrau. Mae defnyddio rhagenwau perthynol yn ffordd dda o wneud eich brawddegau yn fwy cymhleth.

- qui – sydd, a, na(d) (goddrych)
- que – a, na(d), y/yr (gwrthrych)

e.e.:

- J'aime manger la nourriture **qui** est saine.
  Rwy'n hoffi bwyta bwyd sy'n iach.
- Quels sont les produits bio **que** vous aimez ?
  Pa gynhyrchion organig yr wyt ti'n eu hoffi?

Atebwch y cwestiynau yn Gymraeg.

TASG ARHOLIAD

En **France**, **manger**, **boire** et grignoter prennent deux heures vingt-deux minutes par personne par jour. La plupart des gens mangent toujours les trois **repas** principaux et la moitié des français mangent le **déjeuner** vers treize heures. Quinze pour cent grignotent pendant la journée. Vingt pour cent des Français mangent devant la télé et ce sont les jeunes de vingt-quatre ans qui le font le plus. Quelques-uns aiment lire ou écouter de la musique en mangeant.

1. Am beth mae'r testun yn sôn?
2. Beth mae hanner pobl Ffrainc yn ei wneud?
3. Beth mae 20% o bobl Ffrainc yn ei wneud?
4. Beth arall mae rhai Ffrancwyr yn hoffi ei wneud?

Mae Cwestiwn 1 yn fath newydd o gwestiwn y gallwch chi ddisgwyl ei weld yn eich arholiadau gwrando a darllen. Ceisiwch adnabod rhai geiriau allweddol (rydyn ni wedi rhoi rhai mewn print trwm yn yr erthygl hon i'ch helpu chi – yn anffodus fydd hynny ddim yn digwydd yn yr arholiad go iawn!). Gwnewch yn siŵr eich bod yn darllen y testun cyfan cyn ateb y cwestiwn. Peidiwch â gadael i rai geiriau allweddol tua diwedd y darn fynd â'ch sylw chi – e.e. télé, musique.

IECHYD A FFITRWYDD

YMADRODDION
DEFNYDDIOL

Je devrais boire plus d'eau.	Dylwn i yfed mwy o ddŵr.
J'ai décidé que je ne vais jamais fumer.	Rydw i wedi penderfynu nad ydw i byth yn mynd i ysmygu.
Je vais manger plus de fruits et de légumes.	Rwy'n mynd i fwyta mwy o ffrwythau a llysiau.
Je voudrais manger moins de bonbons.	Hoffwn i fwyta llai o losin/o dda-da.
J'aimerais être en forme.	Hoffwn i fod yn heini.
Si j'avais plus d'argent, j'achèterais des produits bio.	Pe bai gen i fwy o arian, byddwn i'n prynu cynnyrch organig.
Je devrais me coucher plus tôt.	Dylwn i fynd i'r gwely'n gynt.
Quand j'étais plus jeune, je mangeais trop de fast food.	Pan oeddwn i'n iau, roeddwn i'n bwyta gormod o fwyd cyflym.
On devrait manger cinq portions de fruits et de légumes par jour.	Dylech chi fwyta pum dogn (*portion*) o ffrwythau a llysiau bob dydd.
Je mange toujours un bon petit déjeuner.	Rydw i bob amser yn bwyta brecwast da.
J'essaie de prendre des repas régulièrement.	Rwy'n ceisio bwyta prydau'n rheolaidd.
Je fais du sport/de l'exercice deux ou trois fois par semaine.	Rwy'n gwneud chwaraeon/ymarfer ddwy neu dair gwaith yr wythnos.
J'essaie d'avoir au moins huit heures de sommeil par nuit.	Rwy'n ceisio cael o leiaf wyth awr o gwsg bob nos.
Beaucoup de jeunes ne font pas d'exercice en dehors de l'école.	Mae llawer o bobl ifanc sydd ddim yn gwneud unrhyw ymarfer y tu allan i'r ysgol.
Il faut faire de l'exercice régulièrement et avoir une alimentation équilibrée.	Dylech chi ymarfer yn rheolaidd a chael deiet cytbwys.
On ne devrait pas manger trop de gras.	Ddylech chi ddim bwyta gormod o fraster.
Il faut sensibiliser les jeunes aux dangers.	Dylai pobl ifanc gael eu gwneud yn ymwybodol o'r peryglon.
On devient accro.	Rydych chi'n mynd yn gaeth.
Il y a plusieurs risques.	Mae nifer o risgiau.

Cofiwch y bydd angen i chi, efallai, ddefnyddio berfau atblygol wrth ysgrifennu neu siarad am y pwnc hwn.
Peidiwch ag anghofio'r rhagenw atblygol – e.e.:

> se coucher – **mynd i'r gwely**
> je **me** couche – rydw i'n mynd i'r gwely
> tu **te** couches – rwyt ti'n mynd i'r gwely (unigol)
> il/elle **se** couche – mae e'n/hi'n mynd i'r gwely
> nous **nous** couchons – rydyn ni'n mynd i'r gwely
> vous **vous** couchez – rydych chi'n mynd i'r gwely
> (unigol cwrtais neu luosog)
> ils/elles **se** couchent – maen nhw'n mynd i'r gwely

ASG ARHOLIAD

Yn y chwarae rôl, bydd yn rhaid i chi ofyn cwestiwn, defnyddio'r amser presennol ac o leiaf un amser arall ac ymateb i gwestiwn annisgwyl!
Dyma rai enghreifftiau o'r sbardunau y gallech chi eu gweld:

- Dywedwch beth rydych chi'n ei wneud fel arfer i gadw'n iach.
- Gofynnwch gwestiwn i'ch ffrind am chwaraeon.
- Rhowch eich barn am fwyta'n iach.
- Dywedwch pa chwaraeon wnaethoch chi ddoe.
- Gofynnwch i'ch ffrind pa fwyd mae ef/hi yn hoffi ei fwyta.
- Dywedwch beth byddwch chi'n ei wneud yr wythnos nesaf i gadw'n iach.

Mae llawer o gwestiynau gwahanol y gallech chi eu gofyn am chwaraeon.

Gallech chi gadw pethau'n gyffredinol – e.e. **Tu aimes le sport ?** (Wyt ti'n hoffi chwaraeon?) **Tu aimes le football ?** (Wyt i'n hoffi pêl-droed?)

Neu gallech chi fod yn fwy penodol – e.e. **Quand joues-tu au tennis ?** (Pryd rwyt ti'n chwarae tennis?) **Avec qui joues-tu au basketball ?** (Gyda phwy rwyt ti'n chwarae pêl-fasged?)

Gwrandewch am eiriau 'sbardun' a allai olygu bod angen i'ch ateb fod mewn amser gwahanol – e.e. ddoe, yr wythnos nesaf.

Qu'est-ce que tu fais pendant ton temps libre ?
Beth rwyt ti'n ei wneud yn dy amser rhydd?

En ce moment je n'ai pas beaucoup de temps libre à cause de mes examens, mais ma passion c'est la natation. Je vais à la piscine au moins trois fois par semaine. Comme tout le monde je regarde la télé à la maison et je joue sur mon portable.
Ar hyn o bryd does gen i ddim llawer o amser rhydd oherwydd fy arholiadau, ond nofio yw'r peth rwy'n dwlu arno. Rwy'n mynd i'r pwll nofio dair gwaith yr wythnos o leiaf. Fel pawb, rwy'n gwylio'r teledu gartref ac yn chwarae ar fy ffôn symudol.

Est-ce que les passe-temps sont importants pour les jeunes ?
A yw diddordebau yn bwysig i bobl ifanc?

Oui, bien sûr. De nos jours, les jeunes ont beaucoup d'examens donc les passe-temps sont très importants pour se détendre.
Ydyn, wrth gwrs. Y dyddiau hyn, mae gan bobl ifanc lawer o arholiadau felly mae diddordebau yn bwysig iawn er mwyn ymlacio.

Quelle activité de loisir aimerais-tu essayer à l'avenir ?
Pa weithgaredd hamdden hoffet ti roi cynnig arno yn y dyfodol?

J'aimerais faire du snowboard, parce que je ne l'ai jamais essayé et mon frère m'a dit que c'est passionnant.
Hoffwn i eirafyrddio achos dydw i erioed wedi ei drïo a dywedodd fy mrawd wrtha i ei fod yn gyffrous.

Qu'est-ce que tu as fait le weekend dernier ?
Beth wnest ti y penwythnos diwethaf?

Samedi matin, j'ai fait la grasse matinée. Après le déjeuner, je suis allé(e) chez mon/ma meilleur(e) ami(e). Le soir, nous sommes sorti(e)s ensemble. Je me suis très bien amusé(e).
Bore Sadwrn, cysgais i'n hwyr. Ar ôl cinio, es i i dŷ fy ffrind gorau. Gyda'r nos aethon ni allan gyda'n gilydd. Ces i amser gwirioneddol dda.

Préfères-tu aller au cinéma ou télécharger un film à la maison ? Pourquoi ?
A yw'n well gen ti fynd i'r sinema neu lwytho ffilm i lawr gartref? Pam?

Aller au cinéma coûte très cher, donc je préfère télécharger un film à la maison. En plus, mon salon est plus confortable et je peux manger et boire tout ce que je veux.
Mae mynd i'r sinema yn ddrud iawn felly mae'n well gen i lwytho ffilm i lawr gartref. Yn ogystal, mae fy ystafell fyw yn fwy cyfforddus a gallaf fwyta ac yfed beth bynnag rydw i eisiau.

Ceisiwch ddatblygu eich atebion cymaint â phosibl drwy ychwanegu manylion lle gallwch chi – e.e. **Je vais au cinéma...**

- Ychwanegwch gyda phwy – Je vais au cinéma **avec mes amis.**
- Ychwanegwch ymadrodd amser – Je vais au cinéma avec mes amis **le samedi.**
- Ychwanegwch farn – Je vais au cinéma avec mes amis le samedi. **C'est génial.**
- Ychwanegwch reswm – Je vais au cinéma avec mes amis le samedi. C'est génial, **parce que le cinéma est très moderne.**
- Ychwanegwch amser gwahanol – Je vais au cinéma avec mes amis le samedi. C'est génial, parce que le cinéma est très moderne. **Samedi dernier, nous avons vu un thriller.**

Atebwch y cwestiynau

Émilie : Je suis fan de la FIFA et mes parents m'achètent le jeu chaque année pour mon anniversaire. Puis le reste de l'année, ils se plaignent que je passe trop de temps à jouer !

Lila : Je suis accro aux jeux. Je préfère quand je joue avec mes amis parce que je n'aime pas jouer seule. Nous avons tous un casque micro et avec cela on peut discuter en même temps.

Jérôme : Je joue pour me reposer. Je joue souvent avec mes frères en faisant des compétitions. Je joue souvent pendant la nuit, quand mes parents pensent que je dors !

Pwy yn eich barn chi fyddai'n dweud y pethau canlynol? Émilie, Lila neu Jérôme?

1. Rwy'n chwarae i ymlacio.
2. Rwy'n gaeth i gemau.
3. Rwy'n chwarae gyda fy ffrindiau.
4. Mae fy rhieni yn cwyno amdanaf drwy'r amser.
5. Rwy'n ei chwarae yn ystod y nos.

Byddwch yn ofalus wrth ateb Cwestiwn 4 gan fod Émilie a Jérôme yn sôn am eu rhieni!

ADLONIANT A HAMDDEN

YMADRODDION
DEFNYDDIOL

Il est important d'avoir des passions.	Mae'n bwysig cael diddordebau.
À mon avis, les loisirs rendent la vie plus agréable.	Yn fy marn i, mae gweithgareddau hamdden yn gwneud bywyd yn fwy pleserus.
C'est une bonne manière d'avoir un peu de relaxation.	Mae'n ffordd dda o ymlacio ychydig.
L'année dernière j'avais plus de temps libre.	Y llynedd, roedd gen i fwy o amser rhydd.
Quand je n'ai pas de devoirs, j'aime sortir avec mes copains.	Pan nad oes gen i waith cartref, rwy'n hoffi mynd allan gyda fy ffrindiau.
Pendant mon temps libre, je joue au foot parce que c'est ma passion.	Yn ystod fy amser rhydd, rwy'n chwarae pêl-droed oherwydd dyna fy niddordeb mawr.
Quand j'ai du temps libre, j'adore jouer sur l'ordinateur parce que cela me détend.	Pan fydd gen i amser rhydd, rydw i wrth fy modd yn chwarae ar y cyfrifiadur oherwydd mae'n gwneud i mi ymlacio.
Quand j'étais petit(e), je jouais de la guitarre mais je n'aime plus faire ça.	Pan oeddwn i'n fach, roeddwn i'n chwarae'r gitâr ond dydw i ddim yn hoffi gwneud hynny bellach.
Si je n'ai pas de travail scolaire, j'essaie de faire beaucoup de choses pour me relaxer.	Os nad oes gen i waith ysgol rwy'n ceisio gwneud llawer o bethau i ymlacio.
Après mes examens, j'aimerais essayer beaucoup d'activités.	Ar ôl fy arholiadau, hoffwn i roi cynnig ar lawer o weithgareddau.
Les passe-temps nous donnent l'occasion de nous faire de nouveaux amis.	Mae diddordebau (hobïau) yn rhoi cyfle i ni wneud ffrindiau newydd.
J'ai l'intention de faire partie d'un club.	Rwy'n bwriadu ymuno â chlwb.
Mes parents pensent que le temps libre devrait être productif.	Mae fy rhieini yn meddwl y dylai amser rhydd fod yn gynhyrchiol.

GRAMADEG

Cysyllteiriau

Dyma rai o'r **cysyllteiriau** sy'n cael eu defnyddio fwyaf yn Ffrangeg. Defnyddiwch nhw i gysylltu brawddegau er mwyn gwella'ch gwaith.

car – achos /oherwydd

comme – fel, gan, oherwydd

depuis (que) – ers (amser)

donc – felly

lorsque, quand – pan

parce que – oherwydd

puisque – gan (rheswm)

pendant que – tra

tandis que – tra

e.e.:

- Il a beaucoup joué au football **puisqu**'il voulait être footballeur professionnel. Mae ef wedi chwarae llawer o bêl-droed gan ei fod eisiau bod yn bêl-droediwr proffesiynol.

TASG ARHOLIAD

Cyfieithwch y brawddegau hyn i'r Ffrangeg:

1. Yr wythnos diwethaf es i i siopa yn y dref.
2. Y penwythnos nesaf rwy'n mynd i'r sinema gyda fy nheulu.
3. Beth yw dy hoff raglen deledu?
4. Dydw i ddim yn gallu mynd allan yfory gan fod gen i ormod o waith cartref.

Cofiwch:

- Peidiwch â chyfieithu air am air.
- Peidiwch â gadael unrhyw fylchau.
- Cadwch olwg am amserau gwahanol.
- Byddwch yn ofalus gyda'r negyddol.

HUNANIAETH A DIWYLLIANT

ARFERION A THRADDODIADAU

Mae is-thema **Arferion a Thraddodiadau** yn cael ei rhannu yn ddwy ran. Dyma rai awgrymiadau am bynciau i'w hadolygu:

BWYD A DIOD

- bwyd a diod parti
- bwyd arbennig yr ardal
- arferion bwyta
- traddodiadau diwylliannol
- bwyd a diod ar gyfer achlysuron arbennig
- bwyta allan

GWYLIAU A DATHLIADAU

- dyddiau gŵyl blynyddol a gwyliau
- penblwyddi
- digwyddiadau cenedlaethol
- digwyddiadau rhanbarthol
- gwyliau cerdd
- dathlu achlysuron teuluol

COFIWCH:

- Rhaid i chi ddefnyddio amrywiaeth o amserau yn eich Ffrangeg ysgrifenedig a llafar.
- Defnyddiwch eich tablau berfau i'ch helpu wrth gynllunio eich gwaith.
- Cofiwch ddefnyddio terfyniad cywir y ferf – mae hwn yn dweud wrth yr arholwr am bwy mae'r frawddeg yn sôn. Mae angen i chi ddefnyddio je i siarad amdanoch chi eich hun, ond mae angen i chi allu defnyddio ffurfiau berfol eraill hefyd er mwyn i chi allu siarad am bobl eraill.
- Ceisiwch gynnwys mwy o fanylion drwy ychwanegu ymadroddion amser os oes modd – e.e. aujourd'hui (heddiw), tous les jours (bob dydd), cette semaine (yr wythnos hon), d'habitude (fel arfer), hier soir (neithiwr), la semaine dernière (yr wythnos diwethaf), il y a deux mois (ddau fis yn ôl), demain matin (bore yfory), l'année prochaine (y flwyddyn nesaf), dans un mois (mewn mis).

Est-ce que tu aimes cuisiner ? Pourquoi (pas) ?
Wyt ti'n hoffi coginio? Pam (ddim)?

> Quand j'étais petit(e), j'aimais faire des gâteaux avec ma mère. Maintenant, je ne fais que des sandwichs ! J'aime les émissions de cuisine à la télé, mais je n'ai pas assez de temps pour faire la cuisine moi-même.
> Pan oeddwn i'n iau, roeddwn i'n hoffi gwneud cacennau gyda fy mam. Nawr, rydw i ond yn gwneud brechdanau! Rwy'n hoffi rhaglenni coginio ar y teledu ond does gen i ddim digon o amser i goginio fy hun.

Décris ton dernier repas au restaurant.
Disgrifia dy bryd o fwyd diwethaf mewn bwyty.

> Je suis allé(e) dans un restaurant italien avec mes parents le weekend dernier. J'ai choisi des pâtes et comme dessert j'ai pris une glace. Le repas était délicieux, donc j'aimerais y retourner un jour.
> Es i i fwyty Eidalaidd gyda fy rhieni y penwythnos diwethaf. Dewisais i basta ac fel pwdin ces i hufen iâ. Roedd y pryd o fwyd yn flasus, felly hoffwn i fynd yn ôl yno ryw ddiwrnod.

Est-ce qu'il est important de manger les plats régionaux pendant les vacances ? Pourquoi (pas) ?
A yw hi'n bwysig bwyta prydau o'r ardal ar wyliau? Pam (ddim)?

> À mon avis, les touristes devraient respecter la culture de la région. Je crois qu'il est essentiel d'essayer les plats typiques. En plus, les restaurants pour touristes sont souvent très chers.
> Yn fy marn i, dylai twristiaid barchu diwylliant yr ardal. Rwy'n meddwl ei bod hi'n hanfodol trio bwydydd lleol. Yn ogystal, mae bwytai ar gyfer twristiaid yn aml yn ddrud iawn.

Comment serait ton repas idéal ?
Beth fyddai dy bryd o fwyd delfrydol?

> Pour mon repas idéal, je mangerais dans un restaurant sur la plage aux Caraïbes. J'essaierais des spécialités locales et je boirais des cocktails tropicaux.
> Ar gyfer fy mhryd o fwyd delfrydol, byddwn i'n bwyta mewn bwyty ar y traeth yn y Caribî. Byddwn i'n trio'r danteithion lleol a byddwn i'n yfed coctels trofannol.

Que penses-tu des plats préparés ?
Beth yw dy farn di am brydau parod?

Je mange des plats préparés de temps en temps, par exemple des pizzas surgelées, parce je n'aime pas cuisiner. Je pense que les plats préparés sont rapides et pratiques, mais je préfère les repas faits à la maison.
Rwy'n bwyta prydau parod o dro i dro, er enghraifft pizzas wedi'u rhewi, oherwydd dydw i ddim yn hoffi coginio. Rwy'n meddwl bod prydau parod yn gyflym ac yn ymarferol ond mae'n well gen i brydau wedi'u coginio gartref.

Mae'n bosibl y bydd yn rhaid i chi ysgrifennu neu siarad am y math o fwyd a diod y byddwch chi fel arfer yn eu cael mewn dathliad – e.e. parti pen-blwydd. Dangoswch i'r arholwr eich bod chi wir eisiau llwyddo drwy ddefnyddio amserau gwahanol a defnyddiwch rai cryfhawyr i wella eich gwaith.

GRAMADEG

Cryfhawyr

Dyma rai **cryfhawyr** cyffredin:

assez – digon
beaucoup – llawer
un peu – ychydig
très – iawn
trop – gormod
tellement – cymaint
extrêmement – hynod o

TASG ARHOLIAD

Darllenwch y darn hwn o destun llenyddol. Atebwch y cwestiynau yn Gymraeg.

Le dimanche chez ma grand-mère, c'était le cérémonial : chacun avait « son » gâteau !
Moi, c'était le gâteau au chocolat avec les fraises.
Je ne savais pas le couper, j'en mettais partout !
Je laissais la moitié du gâteau dans l'assiette !
Petit, les mercredis après-midi dans la cuisine familiale, Christophe a lu le cahier de recettes de sa maman et a commencé ses premières expériences pâtissières.

1. Gyda phwy roedd Christophe yn treulio dydd Sul?
2. Beth roedd yn ei gael i fwyta?
3. Faint ohoni roedd e'n ei fwyta?
4. Ble roedd e'n arfer treulio dydd Mercher?

Bydd dau ddarn wedi'u cymryd o destunau llenyddol yn eich arholiad darllen. Meddyliwch amdanyn nhw yn union fel unrhyw dasg darllen a deall arall. Peidiwch â phoeni os nad ydych chi'n deall pob un gair.

BWYD A DIOD

Cuisiner ce n'est pas mon truc.	Does gen i ddim diddordeb mewn coginio.
Ma mère pense que savoir cuisiner est important.	Mae fy mam yn meddwl bod gallu coginio yn bwysig.
Si j'avais le temps, j'aimerais apprendre à cuisiner.	Pe bai gen i amser, byddwn i'n hoffi dysgu sut i goginio.
De nos jours, on n'a pas toujours le temps et l'énergie de préparer un repas.	Y dyddiau hyn, does gennym ni ddim bob amser yr amser na'r egni i baratoi pryd o fwyd.
Les plats préparés sont plus calorifiques et ils contiennent trop d'additifs.	Mae prydau parod yn uwch mewn calorïau ac maen nhw'n cynnwys gormod o ychwanegion.
Mon repas préféré c'est le poulet rôti.	Fy hoff bryd o fwyd i yw cyw iâr rhost.
Chaque pays possède ses spécialités culinaires.	Mae gan bob gwlad ei phrydau bwyd arbennig.
Les régions d'un pays devraient promouvoir leurs produits locaux.	Dylai'r ardaloedd hyrwyddo eu cynnyrch lleol.
J'aime essayer de nouveaux plats.	Rwy'n hoffi blasu seigiau newydd.
Il est impossible d'aller en France sans manger de fromage.	Mae'n amhosibl mynd i Ffrainc heb fwyta caws.
À mon avis, le dîner en famille est un rituel démodé.	Yn fy marn i, mae bwyta cinio fel teulu yn ddefod hen ffasiwn.
Se retrouver ensemble autour d'une table donne l'occasion de communiquer.	Mae eistedd o amgylch y bwrdd gyda'ch gilydd yn rhoi cyfle i chi sgwrsio (cyfathrebu).
Manger en famille améliore les habitudes alimentaires.	Mae bwyta fel teulu yn gwella arferion bwyta.
On ne peut pas allumer sa télé sans voir une émission de cuisine.	Allwch chi ddim troi'r teledu ymlaen heb weld rhaglen goginio.
J'adore les émissions de téléréalité culinaires comme *Masterchef*.	Rydw i wrth fy modd â sioeau coginio realaeth fel *Masterchef*.
J'ai vraiment envie de manger au restaurant d'un chef star de la télé.	Rwy'n awyddus iawn i fwyta ym mwyty un o chefs enwog y teledu.

Écris un article pour un blog. Il faut inclure :

TASG ARHOLIAD

- ton dernier repas au restaurant
- ce que tu as mangé
- tes opinions

Écris environ 100 mots en français.

Cofiwch:
- Ceisiwch lynu'n agos wrth nifer y geiriau sy'n cael eu hargymell yn yr arholiad.
- Fyddwch chi ddim ar eich ennill o ysgrifennu mwy na'r nifer o eiriau sy'n cael eu hargymell – yn wir gall eich gwaith fynd yn llai cywir a gallech chi fynd yn brin o amser ar gyfer cwestiynau eraill.
- Rhannwch eich amser yn gyfartal rhwng y tri phwynt bwled.
- Gwnewch gynllun bras cyn dechrau ysgrifennu.
- Gadewch ddigon o amser i wirio'ch gwaith neu gallech chi golli marciau oherwydd diffyg cywirdeb.

GRAMADEG

Adferfau lle ac amser
Bydd angen i chi adnabod a defnyddio'r adferfau canlynol:

Lle:
dedans – y tu mewn
dehors – y tu allan
ici – yma
là-bas – fan draw
loin – yn bell
partout – ym mhobman

Amser:
après-demain – y diwrnod ar ôl yfory/drennydd
aujourd'hui – heddiw
avant-hier – y diwrnod cyn ddoe/echdoe
déjà – yn barod
demain – yfory
hier – ddoe
le lendemain – y diwrnod canlynol/drannoeth

Quelle fête préfères-tu ? Pourquoi ?
Pa ŵyl sydd orau gen ti? Pam?

Ma fête préférée est le Nouvel An parce qu'on peut faire la fête toute la nuit. L'année dernière nous sommes sortis à minuit pour voir les feux d'artifice. Je me suis très bien amusé(e).
Fy hoff ŵyl yw dydd Calan achos rydych chi'n gallu aros i fyny drwy'r nos. Y llynedd aethon ni allan am hanner nos i weld y tân gwyllt. Ces i amser gwirioneddol dda.

Décris une fête que tu as célébrée l'année dernière.
Disgrifia ŵyl a ddathlaist ti y llynedd.

Pour Halloween, je me suis déguisé(e) en fantôme et j'ai fait peur à mon petit frère. C'était très amusant !
Ar gyfer Calan Gaeaf, fe wisgais i fel ysbryd a dychryn fy mrawd bach. Roedd hynny'n ddoniol iawn!

Que penses-tu des fêtes traditionnelles ?
Beth yw dy farn am wyliau traddodiadol?

Je suis tout à fait pour les fêtes traditionnelles, parce que ces traditions permettent de se retrouver en famille et de passer du temps ensemble. Je pense que les fêtes représentent les traditions d'une région.
Rwy'n llwyr o blaid gwyliau traddodiadol oherwydd mae'r traddodiadau hyn yn caniatáu i ni gwrdd fel teulu a threulio amser gyda'n gilydd. Rwy'n meddwl bod gwyliau yn cynrychioli traddodiadau ardal.

> Que feras-tu pour fêter ton prochain anniversaire ?
> Beth byddi di'n ei wneud i ddathlu dy ben-blwydd nesaf?

> Je fêterai mon anniversaire avec mes meilleurs copains et ma famille. Mon père me préparera un gâteau d'anniversaire et ma sœur organisera une fête à la maison. J'attends mon anniversaire avec impatience !
> Byddaf i'n dathlu fy mhen-blwydd gyda fy ffrindiau gorau a'm teulu. Bydd fy nhad yn gwneud cacen ben-blwydd i mi a bydd fy chwaer yn trefnu parti yn y tŷ. Allaf i ddim aros tan fy mhen-blwydd!

> Est-ce qu'il y a un festival auquel tu aimerais assister ?
> Oes gŵyl yr hoffet ti fynd iddi?

> Je n'ai jamais assisté à un festival de musique, donc après mes examens j'aimerais assister à un festival avec mes copains. Nous ferons du camping et nous verrons nos chanteurs préférés.
> Dydw i erioed wedi bod mewn gŵyl gerdd, felly ar ôl fy arholiadau hoffwn i fynd i ŵyl gyda fy ffrindiau. Awn ni i wersylla ac fe welwn ni ein hoff artistiaid.

GRAMADEG

Adferfau: cymharol ac eithaf

Y prif adferfau bydd angen i chi eu defnyddio ar gyfer cymharu pethau yw:

aussi... que – mor … â
mieux... que – yn well … na
moins... que/de – llai … na
plus... que/de – mwy … na

e.e.:

- Mon cadeau est **plus** grand **que** le tien. Mae fy anrheg i yn fwy na dy un di.
- Je dépense **plus** d'argent **que** mon frère. Rwy'n gwario mwy o arian na fy mrawd.

Gallwch chi ddefnyddio adferfau hefyd fel y ffurf eithaf gyda **le**:

le mieux – y gorau
le plus... – y mwyaf …

e.e.

- Il chante **le mieux** ! Ef sy'n canu orau!
- C'était **le plus** cher. Hwnna oedd y drutaf.

TASG ARHOLIAD

Cyfieithwch y paragraff canlynol i'r Gymraeg:

Le festival de musique de Paris a eu lieu le premier weekend de juin. J'y suis allé avec mes amis et nous nous sommes couchés sous une tente. C'était la deuxième fois que je suis parti sans ma famille. C'était un weekend tellement incroyable ! J'aimerais y retourner l'été prochain.

Y cyfieithiad i'r Gymraeg yw'r cwestiwn olaf yn yr arholiad darllen ac mae'n werth 6 marc – dim ond 2.5% o'r TGAU cyfan yw hynny, felly peidiwch â threulio mwy o amser arno nag y byddech chi ar unrhyw gwestiwn arall ar y papur darllen.

GWYLIAU A DATHLIADAU

YMADRODDION
DEFNYDDIOL

D'habitude, je fête mon anniversaire avec mes amis.	Fel arfer, rwy'n dathlu fy mhen-blwydd gyda fy ffrindiau.
C'est toujours ma grand-mère qui prépare le repas traditionnel.	Fy mam-gu/nain sydd bob amser yn paratoi'r pryd o fwyd traddodiadol.
Après le repas, nous nous offrons des cadeaux.	Ar ôl y pryd o fwyd, rydyn ni'n rhoi anrhegion i'n gilydd.
J'ai eu de la chance parce que j'ai reçu beaucoup de cadeaux.	Roeddwn i'n lwcus oherwydd fe ges i lawer o anrhegion.
On a fait une grande fête et il y avait des feux d'artifice.	Cawson ni barti mawr ac roedd tân gwyllt.
On a fait la fête et on a mangé un grand repas en famille.	Cawson ni barti ac fe gawson ni ginio teulu mawr.
Chaque année j'envoie des cartes de vœux à tous mes amis.	Bob blwyddyn rwy'n anfon cardiau at fy ffrindiau i gyd.
On a beaucoup mangé et on s'est bien amusé(e)s.	Bwyton ni lawer ac fe gawson ni amser da.
Les fêtes traditionnelles sont des évènements culturels et historiques.	Mae gwyliau traddodiadol yn achlysuron diwylliannol a hanesyddol.
Par contre, les fêtes sont devenues trop commerciales.	Ar y llaw arall, mae gwyliau wedi mynd yn rhy fasnachol.
Chez moi les traditions et les coutumes ne sont pas très importantes.	Yn fy nghartref i, nid yw traddodiadau ac arferion yn bwysig iawn.
J'adore les festivals de musique parce qu'on peut voir quelques groupes et chanteurs incroyables.	Rwy'n dwlu ar wyliau cerdd oherwydd rydych chi'n gallu gweld grwpiau ac artistiaid anhygoel.
C'est une occasion fantastique de découvrir de nouvelles choses et de rencontrer beaucoup de nouvelles personnes.	Mae'n gyfle gwych i ddarganfod pethau newydd a chyfarfod â llawer o bobl newydd.
Malheureusement, les festivals de musique sont connus pour l'utilisation de drogues et d'alcool.	Yn anffodus, mae gwyliau cerdd yn cael enw gwael am y defnydd o gyffuriau ac alcohol.

Mae ateb cwestiynau sgwrsio ar bob pwnc yn ysgrifenedig yn ffordd dda o adolygu ar gyfer eich arholiad ysgrifennu hefyd. Defnyddiwch ac addaswch yr ymadroddion defnyddiol ar dudalen 46 i'ch helpu i ateb y canlynol. Cofiwch ddefnyddio amrywiaeth o amserau a chynnwys mwy nag un darn o wybodaeth os oes modd. Allwch chi gyfiawnhau eich safbwyntiau?

- Préfères-tu fêter ton anniversaire en famille ou avec des amis ? Pourquoi ? A yw'n well gen ti ddathlu dy ben-blwydd gyda'r teulu neu gyda ffrindiau? Pam?
- Les anniversaires coûtent cher. Qu'en penses-tu ? Mae penblwyddi yn ddrud. Beth yw dy farn di?
- Décris ton meilleur anniversaire. Disgrifia dy ben-blwydd gorau.
- Comment serait ton anniversaire idéal ? Sut beth fyddai dy ben-blwydd delfrydol?
- Penses-tu que les traditions culturelles sont importantes ? Pourquoi (pas) ? Wyt ti'n meddwl bod traddodiadau diwylliannol yn bwysig? Pam (ddim)?
- Est-ce que tu aimes les festivals ? Pourquoi (pas)? Wyt ti'n hoffi gwyliau? Pam (ddim)?
- Quel est ton festival préféré dans ton pays ? Pourquoi ? Pa un yw dy hoff ŵyl yn dy wlad di? Pam?
- As-tu assisté à un festival ? Wyt ti wedi bod mewn gŵyl?
- Comment serait ton festival de rêve ? Pourquoi ? Sut beth fyddai dy ŵyl ddelfrydol? Pam?

En, au and aux

Mae'r geiriau en, au ac aux yn golygu 'yn' neu 'i' wrth drafod gwlad.

Mae 'en' yn cael ei ddefnyddio ar gyfer gwledydd benywaidd- e.e.:

- Le festival est **en** Irlande. Mae'r ŵyl yn Iwerddon.

Mae 'au' yn cael ei ddefnyddio ar gyfer gwledydd gwrywaidd – e.e.:

- Il est **au** Canada. Mae ef yng Nghanada.

Mae 'aux' yn cael ei ddefnyddio ar gyfer gwledydd lluosog – e.e.:

- Il travaille **aux** États-Unis. Mae e'n gweithio yn yr Unol Daleithiau.

CYMRU A'R BYD – MEYSYDD O DDIDDORDEB

Y CARTREF A'R ARDAL LEOL

Mae is-thema **Y Cartref a'r Ardal Leol** yn cael ei rhannu yn ddwy ran. Dyma rai awgrymiadau am bynciau i'w hadolygu:

ARDALOEDD LLEOL O DDIDDORDEB

- cyfleusterau a mwynderau (*amenities*) lleol
- atyniadau i dwristiaid
- nodweddion daearyddol
- tywydd a hinsawdd
- manteision ac anfanteision lle rydych chi'n byw
- eich ardal leol yn y gorffennol

TEITHIO A THRAFNIDIAETH

- gwahanol fathau o drafnidiaeth
- manteision ac anfanteision mathau o drafnidiaeth
- gwahanol fathau o deithiau
- cysylltiadau trafnidiaeth
- prynu tocynnau ac archebu taith
- problemau trafnidiaeth – e.e. oedi, streiciau, etc.

LLYTHYRAU FFURFIOL

Yn eich arholiad ysgrifennu, mae'n bosibl y bydd yn rhaid i chi ysgrifennu llythyr ffurfiol. Bydd angen i chi ei osod allan yn gywir. Dyma bedwar pwynt i'w cofio wrth ysgrifennu llythyr ffurfiol:

1. Rhowch eich enw a'ch cyfeiriad i'r chwith ar frig y dudalen a'r enw a'r cyfeiriad rydych chi'n ysgrifennu ato i'r dde ar y brig, ac yna'r dyddiad odano.
2. Rydych chi'n dechrau llythyr ffurfiol â Monsieur neu Madame.
3. Defnyddiwch vous drwy gydol y llythyr.

4. Gorffennwch eich llythyr yn ffurfiol – e.e. Je vous prie d'agréer l'expression de mes sentiments distingués.

E-BYST FFURFIOL

Mae anfon e-bost ffurfiol yn Ffrangeg yn debyg i anfon llythyr ffurfiol. Dechreuwch â rhywbeth syml fel Bonjour Monsieur/Madame neu hyd yn oed Monsieur/Madame.

Gorffennwch yn ffurfiol, fel yn achos llythyr ffurfiol, a pheidiwch ag anghofio defnyddio vous.

ARDALOEDD LLEOL O DDIDDORDEB

Que penses-tu de ta région ?
Beth yw dy farn di am dy ardal leol?

Ma ville est très sale. Il y a trop de pollution à cause des voitures et des industries. Je préfèrerais habiter au bord de la mer.
Mae fy nhref yn frwnt/fudr iawn. Mae gormod o lygredd o ganlyniad i geir a diwydiant. Byddai'n well gen i fyw ar lan y môr.

Qu'est-ce qu'il y a pour les jeunes dans ta région ?
Beth sydd ar gael i bobl ifanc yn dy ardal?

Il n'y a pas grand-chose à faire pour les jeunes. Il y a des magasins et un cinéma et c'est tout. J'aimerais avoir une piscine ou un terrain de tennis.
Does dim llawer i'w wneud ar gyfer pobl ifanc. Mae rhai siopau ac mae sinema, a dyna ni. Hoffwn i gael pwll nofio neu gwrt tennis.

Que vas-tu faire dans ta région ce weekend ?
Beth rwyt ti'n mynd i'w wneud yn dy ardal y penwythnos yma?

Je vais retrouver mes amis au centre-ville et nous irons au cinéma. Malheureusement, il n'y a pas assez de distractions dans ma ville donc il n'y a pas beaucoup de choix pour les jeunes.
Rwy'n mynd i gwrdd â'm ffrindiau yng nghanol y dref a byddwn ni'n mynd i'r sinema. Yn anffodus, does dim digon o atyniadau yn fy nhref, felly does dim llawer o ddewis i bobl ifanc.

Comment était ta région dans le passé ?
Pa fath o le oedd dy ardal yn y gorffennol?

Il y a longtemps, ma ville était beaucoup plus petite. Mes grands-parents m'ont dit qu'il y avait beaucoup de parcs et la ville était très tranquille. Maintenant, la ville est très industrielle donc elle est plus polluée.
Amser maith yn ôl, roedd fy nhref yn llawer llai. Dywedodd mam-gu a tad-cu/nain a taid wrtha i fod llawer o barciau a bod y dref yn dawel iawn. Erbyn hyn, mae'r dref yn ddiwydiannol iawn felly mae mwy o lygredd.

> Est-ce que tu aimerais changer ta région ?
> Hoffet ti newid dy ardal leol?

> Si je pouvais, je changerais de nombreuses choses dans ma ville, car il n'y a rien à faire le weekend.
> À mon avis, nous avons besoin d'un nouveau centre commercial.
> Pe gallwn, byddwn i'n newid nifer o bethau yn fy nhref gan nad oes dim i'w wneud yn ystod y penwythnos. Yn fy marn i, mae angen canolfan siopa newydd arnon ni.

Does dim gwahaniaeth a ydych chi'n byw mewn dinas enfawr, fywiog neu mewn pentref bach filltiroedd o bob man. Gallwch ffugio ffeithiau os oes angen – does neb yn mynd i ddod i weld a yw'r hyn rydych chi wedi'i ddweud neu wedi'i ysgrifennu yn wir! Yn ogystal â gallu disgrifio eich ardal leol, mae angen i chi gynnig safbwyntiau a thrafod manteision ac anfanteision.

RAMADEG

Cynlluniau ar gyfer y dyfodol

Gallwch chi ddefnyddio Je voudrais + **berfenw** i ddweud beth hoffech chi ei wneud – e.e. Je voudrais habiter à l'étranger.

Neu gallwch ddefnyddio'r **amser amodol** i ddweud 'byddwn i/gallwn i/dylwn i'.

I ffurfio'r amser hwn, defnyddiwch fôn yr amser dyfodol a therfyniadau'r amser amherffaith.

je finir**ais** – byddwn i'n gorffen
tu finir**ais** – byddet ti'n gorffen (unigol)
il/elle finir**ait** – byddai e'n/hi'n gorffen
nous finir**ions** – bydden ni'n gorffen
vous finir**iez** – byddech chi'n gorffen (ffurfiol/lluosog)
ils/elles finir**aient** – bydden nhw'n gorffen

ASG ARHOLIAD

Lis les informations au sujet des attractions touristiques.

A

Centre de loisirs
Café et bar
Quatre terrains de tennis
Terrain de football
Piscine couverte
Gymnase
Heures d'ouverture : 07h00–21h00 tous les jours

B

Jardins publics
Salon de thé
Parc pour enfants
Chiens admis
Entrée gratuite
Piscine dehors
Heures d'ouverture : 09h00–16h00 tous les jours
(sauf le mardi)

Choisis l'attraction où on peut...

1. aller chaque jour
2. nager et faire de la musculation
3. entrer sans payer
4. nager en plein air
5. entrer six jours de la semaine

Byddwch yn ofalus â'r math cyffredin hwn o gwestiwn! Mae cliwiau ffug yn fwy anodd eu gweld yn Ffrangeg! Chwiliwch am eiriau gwahanol sydd â'r un ystyr – e.e. am ddim = heb dalu, bob dydd = y dyddiau i gyd.

ARDALOEDD LLEOL O DDIDDORDEB

J'habite une des plus grandes villes du Pays de Galles.	Rwy'n byw yn un o'r trefi mwyaf yng Nghymru.
Il y a beaucoup d'avantages et d'inconvénients à habiter ici. Par exemple…	Mae llawer o fanteision ac anfanteision o fyw yma. Er enghraifft…
C'est une ville très dynamique avec d'excellents transports en commun.	Mae'n dref fywiog iawn â thrafnidiaeth gyhoeddus ardderchog.
Je recommanderais une visite au printemps parce qu'il fait beau.	Byddwn i'n argymell ymweliad yn y gwanwyn oherwydd mae'r tywydd yn braf.
Ma ville est connue pour son équipe de foot très célèbre.	Mae fy nhref i'n adnabyddus am ei thîm pêl-droed enwog iawn.
Les touristes pourraient visiter la cathédrale et les musées.	Gallai twristiaid ymweld â'r eglwys gadeiriol a'r amgueddfeydd.
Ma ville s'est beaucoup améliorée ces dernières années.	Mae fy nhref wedi gwella'n sylweddol yn y blynyddoedd diwethaf.
On est en train de construire de nombreuses maisons.	Mae llawer o dai yn cael eu hadeiladu.
Si j'étais le maire de la ville, j'améliorerais la circulation.	Pe bawn i'n faer y dref, byddwn i'n gwella'r traffig.
Si j'avais le choix, j'habiterais à la campagne.	Pe bai gen i ddewis, byddwn i'n byw yn y wlad.
Pour améliorer ma région, j'investirais dans le tourisme.	I wella fy ardal, byddwn i'n buddsoddi mewn twristiaeth.
Mon frère pense qu'on devrait construire un parc à thème.	Mae fy mrawd yn meddwl y dylen nhw adeiladu parc thema.
Je pense qu'il n'y a pas assez de choses à faire pour les jeunes.	Rwy'n meddwl nad oes digon i bobl ifanc ei wneud.
Le samedi soir, il y a des agressions au centre-ville et il y a trop de criminalité.	Ar nos Sadwrn, mae ymladd yn y dref ac mae gormod o dorcyfraith.
Selon mes parents, il est assez difficile de trouver un logement à un prix abordable.	Yn ôl fy rhieni, mae'n anodd dod o hyd i dai fforddiadwy.

Amser amherffaith

Mae'n bosibl y bydd angen i chi ddefnyddio'r **amser amherffaith** i siarad am sut roedd eich ardal yn y gorffennol neu beth roeddech chi'n arfer ei wneud yno. Y terfyniadau yw:

- -ais
- -ais
- -ait
- -ions
- -iez
- -aient

Defnyddiwch y terfyniadau uchod â bôn **nous** o'r amser presennol:

Ffurf nous	Ffurf amherffaith 'j'	Cymraeg
nous donn**ons**	je donn**ais**	roeddwn i'n rhoi
nous finiss**ons**	je finiss**ais**	roeddwn i'n gorffen
nous vend**ons**	je vend**ais**	roeddwn i'n gwerthu

Dyma rai ymadroddion defnyddiol ar gyfer disgrifio eich ardal:

c'est – mae
c'était – roedd
il y a – mae (yna)
il n'y a pas de – nid oes/does dim
il y avait – roedd (yna)
il n'y avait pas de – nid oedd/doedd dim

Cyfieithwch y brawddegau canlynol i'r Ffrangeg:

TASG ARHOLIAD

Rwy'n hoffi byw yn y dref lle rwy'n byw gan fod llawer o bethau y gall pobl ifanc eu gwneud. Yn y gorffennol, doedd dim sinema ond nawr mae canolfan siopa fawr. Yn y dyfodol, hoffwn i fyw yn Ffrainc oherwydd rwy'n dwlu ar ddiwylliant Ffrainc.

Gwiriwch yn ofalus eich bod yn defnyddio'r amserau cywir.

TEITHIO A THRAFNIDIAETH

Quel est ton moyen de transport préféré ? Pourquoi ?
Beth yw dy hoff ffordd o deithio? Pam?

Je préfère voyager en avion, parce que c'est confortable et reposant. Malgré les accidents d'avion qui ont eu lieu récemment, l'avion est le mode de transport le plus sûr au monde.
Mae'n well gen i deithio mewn awyren gan ei fod yn gyfforddus ac yn ymlaciol. Er gwaetha'r damweiniau awyren sydd wedi digwydd yn ddiweddar, yr awyren yw'r dull teithio mwyaf diogel yn y byd.

Quels sont les avantages et les inconvénients des transports en commun ?
Beth yw manteision ac anfanteision trafnidiaeth gyhoeddus?

Les transports en commun sont beaucoup plus efficaces. Par exemple, 50 personnes peuvent voyager à bord d'un autobus, ce qui est beaucoup mieux que 50 personnes dans des voitures séparées. Par ailleurs, c'est pratique et moins cher.
Mae trafnidiaeth gyhoeddus yn llawer mwy effeithiol. Er enghraifft, gall 50 o bobl deithio ar fws, sy'n llawer gwell na 50 o bobl mewn ceir ar wahân. Yn ogystal, mae'n ymarferol ac yn rhatach.

Quel sont les inconvénients de voyager en voiture ?
Beth yw anfanteision teithio mewn car?

Le temps de trajet en voiture varie beaucoup en fonction de la circulation, sans oublier le problème de se garer, ce qui prend aussi du temps. Néanmoins, j'ai l'intention d'apprendre à conduire quand j'aurai dix-sept ans.
Mae hyd y daith yn y car yn dibynnu ar y traffig, heb anghofio'r broblem parcio, sydd hefyd yn cymryd amser. Serch hynny, rwy'n bwriadu dysgu gyrru pan fyddaf i'n un deg saith.

Comment es-tu allé(e) au collège hier ?
Sut est ti i'r ysgol ddoe?

Normalement je vais au collège à pied mais hier il pleuvait donc j'y suis allé(e) en voiture avec mes voisins.
Fel arfer, rwy'n cerdded i'r ysgol, ond ddoe roedd hi'n bwrw glaw felly es i yn y car gyda fy nghymdogion.

Comment voyageras-tu en vacances l'année prochaine ?
Sut byddi di'n teithio ar dy wyliau y flwyddyn nesaf?

L'été prochain j'irai en France avec ma famille et nous voyagerons en voiture et en bateau. J'adore le ferry, parce qu'il y a beaucoup de choses à faire pendant le voyage.
Yr haf nesaf, byddaf i'n mynd i Ffrainc gyda fy nheulu a byddwn ni'n teithio mewn car ac ar gwch. Rwy'n dwlu ar y fferi gan fod llawer o bethau i'w gwneud yn ystod y daith.

GRAMADEG

Adferfau

Mae'n bosibl y bydd angen i chi ddefnyddio **adferfau** wrth siarad am drafnidiaeth yn Ffrangeg. Mae adferfau'n aml yn cael eu ffurfio yn Ffrangeg drwy ychwanegu -ment at yr ansoddair benywaidd – e.e.:

- rapide (cyflym) → rapide**ment** (yn gyflym)
- lente (araf) → lente**ment** (yn araf)

Nid yw rhai adferfau yn dilyn y patrwm hwn – e.e. souvent (yn aml).

Yn Ffrangeg, mae adferfau yn mynd ar ôl y ferf fel arfer – e.e. Je prends **souvent** le bus (Rwy'n dal y bws yn aml).

TASG ARHOLIAD

Atebwch y cwestiynau yn Gymraeg.

Nous sommes heureux de vous accueillir[1] à bord du Pont Aven. Le bureau des informations se trouve en face du restaurant. L'accès au garage est strictement interdit[2] pendant le voyage. En cas de mauvais temps, il est interdit de sortir dehors[3]. Il est interdit de fumer dans le bateau. La compagnie Brittany Ferries vous souhaite un bon voyage.

1 croesawu
2 wedi'i wahardd
3 y tu allan

1. Ble gallwch chi fynd os oes angen help arnoch chi?
2. Ble yn union mae hwn?
3. Beth sy'n cael ei ddweud am fynediad i ddec y ceir?
4. Beth dydych chi ddim yn cael ei wneud os yw'r tywydd yn ddrwg?
5. Beth arall dydych chi ddim yn cael ei wneud?

TEITHIO A THRAFNIDIAETH

Aller au collège en voiture nous permet de partir à l'heure que nous voulons.	Mae mynd i'r ysgol yn y car yn caniatáu i ni adael ar yr amser rydyn ni eisiau.
Je n'aime pas dépendre des horaires des transports en commun.	Dydw i ddim yn hoffi dibynnu ar amserlenni trafnidiaeth gyhoeddus.
Utiliser la voiture pour aller au collège ou au travail est nuisible à l'environnement.	Mae defnyddio ceir i deithio i'r ysgol neu i'r gwaith yn niweidiol i'r amgylchedd.
Si on habite dans une grande ville, les transports en commun sont la plupart du temps la solution la plus rapide.	Os ydych chi'n byw mewn tref fawr, trafnidiaeth gyhoeddus yw'r ateb cyflymaf yn aml.
Si on trouve une place assise dans le train, on peut lire tranquillement un livre.	Os cewch chi sedd ar y trên, gallwch chi ddarllen llyfr yn dawel.
Si on a la chance de ne pas habiter trop loin du collège, on peut simplement y aller à pied ou à vélo.	Os ydych chi'n ddigon lwcus i beidio â byw yn rhy bell o'r ysgol, yna gallwch chi gerdded yno neu fynd ar y beic.
À mon avis, aucun autre moyen de transport n'est aussi écologique que le vélo.	Yn fy marn i, nid oes unrhyw ddull teithio arall mor amgylcheddol-gyfeillgar â beic.
Aller à pied contribue à un environnement plus propre, et on se déplace gratuitement.	Mae cerdded yn cyfrannu at amgylchedd glanach, a gallwch chi deithio am ddim.
Certains modes de transport nuisent à la santé, à la qualité de vie et à l'environnement.	Mae rhai ffyrdd o deithio yn niweidiol i iechyd, ansawdd bywyd a'r amgylchedd.
Un inconvénient est que les trains et les bus peuvent devenir très encombrés aux heures de pointe.	Un anfantais yw y gall trenau a bysiau fynd yn llawn iawn yn ystod yr oriau brys.

Nid yw'r pwnc hwn yn ymwneud â phrynu tocyn yn unig! Mae angen i chi allu rhoi eich barn am wahanol fathau o drafnidiaeth a gwneud cymariaethau rhyngddyn nhw. Meddyliwch am ffyrdd o gynnwys yr amser gorffennol, y presennol a'r dyfodol yn eich atebion.

Yn yr arholiad, bydd y cwestiwn cyntaf am y llun ar gerdyn yn gofyn i chi ddisgrifio'r llun (neu beth sy'n digwydd ynddo):

- Décris cette photo. (Sylfaenol)/Qu'est-ce qui se passe sur cette photo ? (Uwch)

Bydd yr ail gwestiwn fel arfer yn gofyn am eich barn – e.e.:

- Est-ce qu'il y a assez de pistes cyclables dans ta région ? Pourquoi (pas) ? Oes digon o lwybrau beicio yn yr ardal? Pam (ddim)?

Yna bydd eich athro/athrawes yn gofyn dau gwestiwn heb eu gweld o'r blaen. Yn y cwestiwn cyntaf heb ei weld o'r blaen, bydd angen i chi fel arfer roi sylw ar farn – e.e.:

- Les transports publics ne coûtent pas cher. Qu'en penses-tu ? Nid yw trafnidiaeth gyhoeddus yn ddrud. Beth yw dy farn di?

Fel arfer bydd angen ateb y cwestiwn olaf mewn amser gwahanol – e.e.:

- Quels moyens de transport as-tu utilisés la semaine dernière ? Pa fath o drafnidiaeth ddefnyddiaist ti yr wythnos diwethaf?

Yn ystod eich amser paratoi, ceisiwch feddwl am rai o'r pethau a allai godi yn y cwestiynau heb eu gweld o'r blaen.

CYMRU A'R BYD – MEYSYDD O DDIDDORDEB

Y BYD EHANGACH

Mae is-thema **Y Byd Ehangach** yn cael ei rhannu yn ddwy ran. Dyma rai awgrymiadau am bynciau i'w hadolygu:

NODWEDDION LLEOL A RHANBARTHOL FFRAINC A GWLEDYDD FFRANGEG EU HIAITH

- lleoedd o ddiddordeb mewn gwledydd Ffrangeg eu hiaith
- nodweddion daearyddol
- tywydd a hinsawdd
- atyniadau i dwristiaid a chofadeiladau
- nodweddion rhanbarthol

GWYLIAU A THWRISTIAETH

- lleoliadau a threfi gwyliau
- mathau o wyliau
- llety gwyliau
- gweithgareddau gwyliau
- manteision ac anfanteision twristiaeth
- gwahanol fathau o dwristiaeth
- problemau a chwynion

COFIWCH:

Byddwch chi'n cael eich marcio am eich gwybodaeth ieithyddol a'ch cywirdeb yn eich arholiadau siarad ac ysgrifennu. Mae'n bwysig treulio amser yn adolygu pethau sylfaenol fel:

- cenedl enwau
- terfyniadau berfau

- ansoddeiriau (a sut maen nhw'n cytuno)
- arddodiaid
- amserau

Nid oes disgwyl i chi fod yn arbenigwr ar bob atyniad i dwristiaid yn Ffrainc, ond dylech chi allu siarad yn gyffredinol am y pwnc.

NODWEDDION LLEOL A RHANBARTHOL FFRAINC A GWLEDYDD FFRANGEG EU HIAITH

Est-ce que tu es déjà allé(e) en France ?
Wyt ti erioed wedi bod yn Ffrainc?

Je n'ai jamais visité la France, mais j'ai envie d'aller à Paris pour monter à la Tour Eiffel. J'adore les parcs d'attractions, donc je voudrais aussi aller à Disneyland Paris.
Dydw i erioed wedi bod yn Ffrainc ond rwy'n awyddus i fynd i Baris i fynd i fyny Tŵr Eiffel. Rydw i wrth fy modd â pharciau thema felly hoffwn i fynd i Disneyland Paris hefyd.

Est-ce que tu aimes visiter les monuments historiques ? Pourquoi (pas) ?
Wyt ti'n hoffi ymweld â chofadeiladau hanesyddol? Pam (ddim)?

Je suis de l'opinion qu'on doit être curieux au sujet de l'histoire d'une région, mais je trouve les musées un peu ennuyeux. Ce qui me plaît, c'est acheter des souvenirs.
Rydw i o'r farn y dylech chi gymryd diddordeb yn hanes ardal, ond rwy'n gweld amgueddfeydd ychydig yn ddiflas. Yr hyn rwy'n ei fwynhau yw prynu swfenîrs.

Quel pays francophone aimerais-tu visiter ? Pourquoi ?
Pa wlad Ffrangeg ei hiaith hoffet ti ymweld â hi? Pam?

J'aimerais visiter l'île Maurice, qui se trouve dans l'océan Indien, parce que les plages sont très belles là-bas. Malheureusement, les vacances à l'île Maurice coûtent très cher.
Hoffwn i fynd i ynys Mauritius, sydd yng Nghefnfor India, oherwydd bod y traethau yn hardd iawn yno. Yn anffodus, mae gwyliau i Mauritius yn ddrud iawn.

Os nad ydych chi erioed wedi bod mewn gwlad Ffrangeg ei hiaith, gallwch chi naill ai ddychmygu ymweliad fel bod gennych rywbeth i siarad amdano neu ddisgrifio lle hoffech chi fynd! Mae llawer o eirfa yr un fath â'r eirfa byddwch chi ei hangen ar gyfer **ardaloedd lleol o ddiddordeb**, ond eu bod nhw mewn cyd-destun gwahanol.

Décris une visite d'une attraction touristique que tu as faite récemment.
Disgrifia ymweliad diweddar a wnest ti ag atyniad i dwristiaid.

Le weekend dernier, nous avons fait une excursion au château. Il y avait trop de touristes mais nous nous sommes bien amusé(e)s.
Y penwythnos diwethaf, aethon ni am dro i'r castell. Roedd gormod o dwristiaid ond cawson ni amser da.

Est-ce qu'il est important d'apprendre l'histoire d'une région quand on est en vacances ? Pourquoi (pas) ?
A yw hi'n bwysig dysgu am hanes ardal pan fyddwch chi ar wyliau? Pam (ddim)?

Je pense que les touristes devraient respecter les différentes cultures. Par contre, si on n'aime pas l'histoire, on ne devrait pas être obligé de visiter les musées et les monuments.
Rwy'n meddwl y dylai twristiaid barchu diwylliannau gwahanol. Ar y llaw arall, os nad ydych chi'n hoffi hanes, ddylech chi ddim gorfod ymweld ag amgueddfeydd a chofadeiladau.

GRAMADEG

Arddodiaid

Fel yn y Gymraeg, yn Ffrangeg mae mwy nag un ffordd o gyfieithu arddodiad yn aml.

Er enghraifft gallech chi gyfieithu, **yn/mewn** i'r Ffrangeg fel **dans**, **en** neu **à**.

Dyma dri o'r arddodiaid mwyaf cyffredin:

1. Cyn
avant (cyn) – e.e. **avant** le dîner
déjà (yn barod) – e.e. Je l'ai **déjà** vu.
devant (o flaen) – e.e. **devant** le château

2. Yn/mewn
à – e.e. **à** Lyon
dans – e.e. **dans** un magasin
en – e.e. **en** France

3. Ar
à – e.e. **à** gauche
en – e.e. **en** vacances
sur – e.e. **sur** les réseaux sociaux

TASG ARHOLIAD

Cyfieithwch y paragraff canlynol i'r Gymraeg:

L'année dernière, je suis allée en vacances avec mes parents. Nous avons logé chez ma tante qui habite au bord de la mer. Nous lui avons rendu visite en juillet. Il faisait très chaud. Nous avons beaucoup aimé la plage. Le parc d'attractions était vraiment super et je voudrais y retourner l'été prochain.

Gwnewch yn siŵr bod eich Cymraeg yn gwneud synnwyr. Cofiwch y gallai trefn y geiriau fod yn wahanol yn Ffrangeg.

NODWEDDION LLEOL A RHANBARTHOL FFRAINC A GWLEDYDD FFRANGEG EU HIAITH

YMADRODDION DEFNYDDIOL

Je pense qu'aller à l'étranger est essentiel parce qu'on peut découvrir de nouvelles cultures ou pratiquer une langue étrangère.	Rwy'n meddwl bod mynd dramor yn hanfodol oherwydd gallwch ddarganfod diwylliannau newydd neu ymarfer iaith dramor.
Si on aime l'histoire, il y a des musées d'art et des monuments historiques.	Os ydych chi'n hoffi hanes, mae orielau celf a chofadeiladau hanesyddol.
Les touristes peuvent visiter des sites intéressants comme le château.	Gall twristiaid ymweld â safleoedd diddorol fel y castell.
Les attractions touristiques de Paris font partie des plus visitées au monde.	Mae'r atyniadau i dwristiaid ym Mharis ymhlith y rhai mae pobl yn ymweld â nhw fwyaf yn y byd.
La ville attire en effet des millions de visiteurs chaque année.	Mae'r ddinas yn denu miliynau o dwristiaid bob blwyddyn.
C'est une ville historiquement riche et on y trouve plusieurs monuments anciens.	Mae'n ddinas sy'n gyfoethog mewn hanes ac mae llawer o hen gofadeiladau yno.
Les nombreux monuments historiques sont des témoins précieux du passé.	Mae'r cofadeiladau hanesyddol niferus yn atgofion gwerthfawr o'r gorffennol.
La France est une destination de rêve pour les visiteurs qui s'intéressent à l'histoire.	Mae Ffrainc yn gyrchfan delfrydol i'r ymwelwyr sydd â diddordeb mewn hanes.
L'histoire de France est connue dans le monde entier et beaucoup de touristes ont envie de visiter le pays.	Mae hanes Ffrainc yn adnabyddus drwy'r byd ac mae llawer o dwristiaid eisiau mynd yno.
Les parcs d'attractions comme Disneyland Paris et le Futuroscope deviennent de plus en plus populaires.	Mae parciau thema fel Disneyland Paris a Futuroscope yn dod yn fwy ac yn fwy poblogaidd.
La France est célèbre pour ses vins, sa cuisine et sa culture.	Mae Ffrainc yn enwog am ei gwinoedd, ei choginio a'i diwylliant.
C'est une ville dynamique et vibrante qui offre une multitude d'opportunités.	Mae'n dref egnïol a bywiog sy'n cynnig nifer mawr o gyfleoedd.
À mon avis, c'est un pays qui offre un choix de destinations avec des identités régionales.	Yn fy marn i, mae'n wlad sy'n cynnig dewis o leoedd â hunaniaeth ranbarthol.

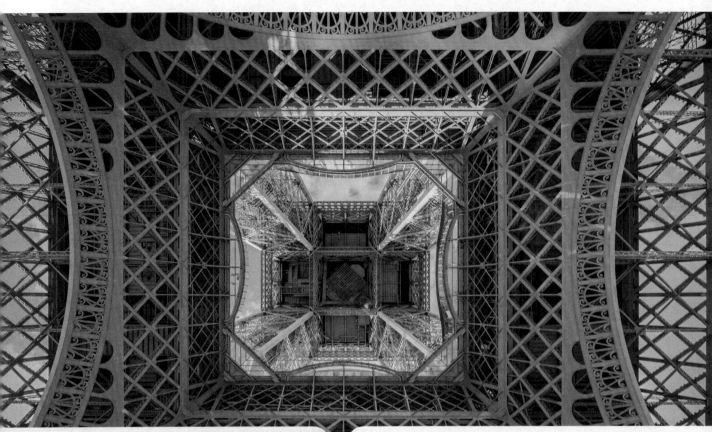

Berfenwau

Yn aml, gall berfenw ddilyn berfau yn Ffrangeg – e.e.:

- Je sais nager. Rwy'n gallu nofio.
- Tu veux venir ? Wyt ti eisiau dod?

Mae nifer o ferfau yn Ffrangeg yn defnyddio arddodiad pan fydd berfenw yn eu dilyn. Dyma rai o'r rhai mwyaf cyffredin:

> aider à – helpu i
> apprendre à – dysgu
> commencer à – dechrau
> continuer à – parhau i
> décider de – penderfynu (gwneud rhywbeth)
> inviter à – gwahodd i
> ressembler à – bod yn debyg i
> réussir à – llwyddo i
> s'arrêter de – peidio â (gwneud)
> avoir l'intention de – bwriadu
> avoir peur de – bod ag ofn (gwneud)
> avoir besoin de – bod ag angen

Dyma rai enghreifftiau o sbardunau chwarae rôl ar y pwnc hwn.

TASG ARHOLIAD

- Dywedwch sut mae'r tywydd.
- Dywedwch beth rydych chi'n ei wneud ar wyliau fel arfer.
- Gofynnwch gwestiwn i'ch ffrind am atyniad i dwristiaid.
- Gofynnwch i'ch ffrind beth mae'n hoffi ei wneud ar wyliau.
- Dywedwch lle aethoch chi y llynedd.
- Dywedwch â pha atyniad i dwristiaid byddwch chi'n ymweld y flwyddyn nesaf.

Cofiwch nad oes rhaid i'r hyn rydych chi'n ei ddweud fod yn ffeithiol gywir, cyn belled â bod eich Ffrangeg yn gywir. Mae'n iawn ffugio atebion. Does dim rhaid i chi roi gwybodaeth ychwanegol. Ar gyfer y pwynt bwled cyntaf, gallech chi ddweud rhywbeth mor syml ag Il fait beau i gael marciau llawn.

GWYLIAU A THWRISTIAETH

Que fais-tu normalement pendant les vacances ?
Beth rwyt ti'n ei wneud fel arfer yn ystod y gwyliau?

Nous allons en vacances pendant quinze jours chaque année. Nous partons en famille et quelquefois mes cousins viennent aussi. Nous faisons du camping ou nous logeons dans une caravane. Ma mère utilise Internet pour faire des recherches et réserver un logement pas cher.
Rydyn ni'n mynd ar wyliau am bythefnos bob blwyddyn. Rydyn ni'n mynd fel teulu ac weithiau mae fy nghefndryd yn dod hefyd. Rydyn ni'n mynd i wersylla neu rydyn ni'n aros mewn carafán. Mae fy mam yn defnyddio'r rhyngrwyd i ffeindio ac archebu llety rhad.

Quels sont les aspects positifs du tourisme ?
Beth yw agweddau cadarnhaol twristiaeth?

Le tourisme est bon pour l'économie de la région. En plus, c'est une très grande industrie qui aide à sauvegarder les traditions.
Mae twristiaeth yn dda i economi'r ardal. Yn ogystal, mae'n ddiwydiant mawr sy'n helpu i ddiogelu traddodiadau.

Que préfères-tu ? Les vacances au bord de la mer ou en ville ? Pourquoi ?
Beth sy'n well gen ti? Gwyliau ar lan y môr neu yn y dref? Pam?

Je préfère la plage parce que j'adore nager et j'aime tous les sports nautiques. Pour moi, c'est important de faire une activité. Par exemple, l'année dernière j'ai appris à faire de la planche à voile.
Mae'n well gen i'r traeth oherwydd rydw i wrth fy modd yn nofio ac rwy'n hoffi chwaraeon dŵr o bob math. I mi, mae'n bwysig gwneud gweithgaredd. Er enghraifft, y llynedd fe ddysgais i hwylfyrddio.

Quelles activités as-tu faites pendant tes vacances dernières ?
Pa weithgareddau wnest ti yn ystod dy wyliau diwethaf?

Pendant la journée, nous sommes allé(e)s à la plage et j'ai appris à faire du surf. Un jour, nous avons fait une excursion en ville et j'ai acheté des souvenirs pour mes amis. C'était super !
Yn ystod y dydd, aethon ni i'r traeth ac fe ddysgais i syrffio. Un diwrnod, aethon ni ar daith i'r dref ac fe brynais i swfenîrs i fy ffrindiau. Roedd yn wych!

Comment seraient tes vacances de rêve ?
Beth fyddai dy wyliau delfrydol?

Mes vacances idéales seraient d'être avec toute ma famille sur une île où il ferait toujours du soleil et il y aurait du sable blanc. Je rêve d'un hôtel de luxe avec une piscine énorme.
Byddai fy ngwyliau delfrydol gyda fy nheulu i gyd ar ynys lle byddai'n heulog bob dydd a byddai yna dywod gwyn. Rwy'n breuddwydio am westy moethus â phwll nofio enfawr.

Dylech chi deimlo'n hyderus yn defnyddio'r amser gorffennol, y presennol a'r dyfodol wrth siarad ac ysgrifennu Ffrangeg.
Gallwch chi hefyd ychwanegu amrywiaeth o amserau ac ymadroddion eraill i ymestyn eich atebion. Er enghraifft:

- Yr amser presennol i sôn am weithgareddau rydych chi'n eu gwneud yn rheolaidd e.e. **Je vais à la plage.**
- Yr amser gorffennol i sôn am rywbeth a oedd yn arfer digwydd yn rheolaidd yn y gorffennol e.e. **Il pleuvait souvent.**
- Yr amser perffaith i ddweud beth rydych chi wedi'i wneud – e.e. **Nous sommes allés à Barcelone.**
- Y dyfodol agos i ddweud beth rydych chi'n mynd i'w wneud – e.e. **Ce soir je vais jouer au tennis.**
- Yr amser dyfodol i ddweud beth byddwch chi'n ei wneud – e.e. **J'irai en Italie.**
- Yr amser amodol i ddweud beth byddech chi'n ei wneud – e.e. **J'aimerais aller à la montagne.**

Does dim rhaid i chi ddefnyddio'r amserau hyn i gyd yn eich atebion, ond mae angen i chi allu eu hadnabod oherwydd byddan nhw'n ymddangos yn eich arholiadau gwrando a darllen. Bydd angen i chi gyfeirio at ddigwyddiadau yn y gorffennol, y presennol a'r dyfodol yn eich arholiadau siarad ac ysgrifennu.

Lis les textes. Écris le bon nom.

TASG ARHOLIAD

Nathan : Je ferai du surf cette année. Ce sera ma première fois ! Je crois que je vais souvent tomber dans l'eau !

Laetitia : Pour moi c'est toujours le volleyball ! Je suis très sportive et je n'aime pas prendre de bains de soleil à la plage.

Carl : J'adore nager, je suis dans l'eau tout le temps ! Je n'ai jamais fait de surf.

Mathieu : Je me cache sous ma serviette et je dors !

Qui... ?

1. fait de la natation
2. n'aime pas se faire bronzer
3. va faire du sport nautique
4. se repose

GWYLIAU A THWRISTIAETH

Les vacances, c'est le meilleur moment de l'année.	Y gwyliau yw'r adeg orau o'r flwyddyn.
Pour moi il est essentiel d'aller à l'étranger.	I mi, mae'n hanfodol mynd dramor.
Ce que je préfère c'est me faire bronzer à la plage.	Yr hyn sydd well gen i yw torheulo ar y traeth.
D'habitude nous faisons du camping, puisque les hôtels sont trop chers.	Fel arfer rydyn ni'n mynd i wersylla oherwydd bod gwestai yn rhy ddrud.
Quand j'étais petit(e) je restais avec mes parents, mais maintenant je préfère passer mes vacances avec mes copains.	Pan oeddwn i'n iau, roeddwn i'n aros gyda fy rhieni ond nawr mae'n well gen i dreulio fy ngwyliau gyda fy ffrindiau.
Je préfère partir en vacances en hiver, parce que j'aime aller à la montagne pour faire du ski.	Mae'n well gen i fynd ar wyliau yn y gaeaf oherwydd rwy'n hoffi mynd i'r mynyddoedd i sgïo.
C'était vraiment une expérience inoubliable.	Roedd y profiad yn un gwirioneddol fythgofiadwy.
Mes vacances étaient reposantes, car l'hôtel était tellement confortable.	Roedd fy ngwyliau yn hamddenol achos roedd y gwesty mor gyfforddus.
J'aurais préféré aller ailleurs.	Byddai'n well gen i fod wedi mynd i rywle arall.
Je dois admettre que j'ai été choqué(e), parce qu'il n'y avait pas de connexion wifi.	Mae'n rhaid i mi gyfaddef fy mod i wedi cael sioc, achos doedd dim cysylltiad wi-fi.
En arrivant nous sommés allé(e)s à la piscine tout de suite.	Ar ôl cyrraedd, aethon ni i'r pwll nofio yn syth.
Nous étions sur le point d'aller à la plage quand il a commencé à pleuvoir.	Roedden ni ar fin mynd i'r traeth pan ddechreuodd hi fwrw glaw.
Le tourisme peut être mauvais pour l'environnement.	Gall twristiaeth fod yn ddrwg i'r amgylchedd.
Il y a des touristes qui sont sales et bruyants et ils jettent leurs déchets par terre.	Mae rhai twristiaid sy'n fudr ac yn swnllyd ac maen nhw'n taflu eu sbwriel ar y llawr.
Le tourisme favorise l'emploi et le développement d'une région.	Mae twristiaeth yn cynnig cyflogaeth a datblygiad i ardal.
Les immeubles et hôtels construits pour les touristes gâchent le paysage.	Mae'r blociau fflatiau a'r gwestai a adeiladwyd i dwristiaid yn difetha'r dirwedd.

AMADEG

Amserau

Cwblhewch bob brawddeg gan ddefnyddio amser cywir y ferf sydd mewn cromfachau.

1. L'année dernière, je _____
   (**aller** – perffaith) en Espagne.
2. Il _____ (**faire**
   – amherffaith) beau et le soleil
   _____ (**briller** – amherffaith).
3. Nous _____ (**passer** –
   perffaith) deux nuits dans un hôtel au bord de la
   mer.
4. Normalement, je _____ (**faire** –
   presennol) beaucoup d'activités nautiques.
5. L'été prochain, nous _____
   (**voyager** – dyfodol) en avion.

TASG ARHOLIAD

Ysgrifennwch frawddeg lawn yn Ffrangeg ar gyfer pob un o'r penawdau:

- trafnidiaeth
- llety
- y tywydd
- prydau o fwyd
- gweithgareddau
- eich barn

Gwnewch yn siŵr bod eich brawddeg yn gyflawn ac yn cynnwys berf addas – e.e. ar gyfer y pwynt bwled cyntaf dylech chi ddweud **Je vais en avion** nid **en avion** yn unig.

CYMRU A'R BYD – MEYSYDD O DDIDDORDEB

CYNALIADWYEDD BYD-EANG

Mae is-thema **Cynaliadwyedd Byd-eang** yn cael ei rhannu yn ddwy ran. Dyma rai awgrymiadau am bynciau i'w hadolygu:

YR AMGYLCHEDD

- materion amgylcheddol
- ailgylchu
- newid hinsawdd
- sychder a llifogydd
- llygredd
- mathau o egni
- grwpiau amgylcheddol

MATERION CYMDEITHASOL

- digwyddiadau elusennol
- codi arian
- problemau byd-eang – e.e. tlodi, newyn, iechyd, digartrefedd
- gwirfoddoli

CYNGOR

Ar yr olwg gyntaf, gallai tasg ar yr amgylchedd neu faterion cymdeithasol ymddangos yn fwy anodd na rhai o'r is-themâu eraill. Bydd angen i chi ddysgu geirfa pwnc-benodol, ond mae'r disgwyliadau yr un peth â disgwyliadau'r is-themâu eraill i gyd. Mae angen i chi fynegi barn a chyfeirio at ddigwyddiadau yn y gorffennol, y presennol a'r dyfodol. Ceisiwch ysgrifennu brawddegau estynedig gan ddefnyddio cysyllteiriau. Gallwch chi gyfuno mwy nag un amser mewn brawddeg a gallwch amrywio'r eirfa y byddwch chi'n ei defnyddio i fynegi barn. Wrth adolygu'r is-thema hon, gallai fod yn ddefnyddiol i chi feddwl am sut gallech chi wneud y canlynol:

- mynegi pa broblemau cymdeithasol neu amgylcheddol sy'n eich poeni a pham
- trafod elusen rydych chi'n ei chefnogi a beth mae'n ei wneud
- siarad am rywbeth yn y gorffennol – e.e. digwyddiad elusennol y buoch chi ynddo
- dweud beth rydych chi'n ei wneud ar hyn o bryd i gefnogi elusennau neu i helpu'r amgylchedd
- siarad am ddigwyddiad yn y dyfodol – e.e. sêl gacennau byddwch chi'n ei threfnu, digwyddiad codi arian byddwch chi'n ei fynychu, eich cynlluniau i wirfoddoli, sut byddwch chi'n mynd yn fwy eco-gyfeillgar, etc.
- dweud sut gall pobl ifanc helpu neu beth dylai pobl ei wneud i helpu

YR AMGYLCHEDD

Quels sont les problèmes environnementaux dans ta région ?
Beth yw'r problemau amgylcheddol yn dy ardal di?

> Malheureusement, il y a beaucoup de problèmes dans ma région. D'abord, il n'y pas assez de poubelles, donc beaucoup de gens jettent leurs déchets par terre. Aussi je pense que, dans les rues, il y a trop de voitures qui contribuent à la pollution de l'air.
> Yn anffodus, mae llawer o broblemau yn fy ardal i. I ddechrau, does dim digon o finiau sbwriel, felly mae llawer o bobl yn taflu eu sbwriel ar y stryd. Hefyd, rwy'n meddwl bod gormod o geir ar y ffordd sy'n cyfrannu at lygredd aer.

À ton avis, qui est responsable des problèmes environnementaux ?
Yn dy farn di, pwy sy'n gyfrifol am y problemau amgylcheddol?

> Je pense que le gouvernement doit informer la population sur les problèmes environnementaux et nous donner plus d'informations pour éduquer les jeunes. Néanmoins, nous sommes tous responsables de notre environnement.
> Rwy'n meddwl bod yn rhaid i'r llywodraeth ddweud wrth y boblogaeth am broblemau amgylcheddol a rhoi mwy o wybodaeth i ni er mwyn addysgu pobl ifanc. Serch hynny, rydyn ni i gyd yn gyfrifol am ein hamgylchedd.

Penses-tu que le recyclage est important ? Pourquoi (pas) ?
Wyt ti'n meddwl bod ailgylchu yn bwysig? Pam (ddim)?

> Bien sûr, le recyclage est très important pour notre environnement et pour l'avenir de notre planète. Le recyclage nous permet, avant tout, d'économiser les ressources naturelles.
> Wrth gwrs, mae ailgylchu yn bwysig iawn i'n hamgylchedd ac i ddyfodol ein planed. Yn bennaf oll, mae ailgylchu yn caniatáu i ni arbed adnoddau naturiol.

Décris la dernière chose que tu as faite pour protéger l'environnement.
Disgrifia'r peth diwethaf a wnest ti i ddiogelu'r amgylchedd.

> Ce matin j'ai pris une douche au lieu d'un bain pour ne pas gaspiller l'eau. Aussi, j'ai choisi des produits locaux pour mon petit déjeuner.
> Y bore yma, ces i gawod yn lle bath er mwyn peidio â gwastraffu dŵr. Hefyd, fe ddewisais i gynnyrch lleol ar gyfer fy mrecwast.

Es-tu « écolo » ? Pourquoi (pas) ?
Wyt ti'n 'wyrdd'? Pam (ddim)?

Je fais de mon mieux mais je ne suis pas parfait(e). C'est assez difficile de renoncer aux produits non-biodégradables, mais j'essaie d'utiliser plus de produits naturels et moins de produits chimiques.
Rwy'n gwneud fy ngorau ond dydw i ddim yn berffaith.
Mae'n eithaf anodd rhoi'r gorau i nwyddau anfioddiraddadwy, ond rwy'n ceisio defnyddio nwyddau mwy naturiol a llai o gynhyrchion cemegol.

Qu'est-ce qu'on devrait faire pour protéger l'environnement ?
Beth dylen ni ei wneud i ddiogelu'r amgylchedd?

En général, nous devrions modifier la manière dont nous utilisons notre énergie. À la maison, on devrait baisser le chauffage et éteindre les lumières quand on sort d'une pièce pour économiser l'électricité.
Yn gyffredinol, dylen ni newid y ffordd rydyn ni'n defnyddio egni. Gartref, dylen ni droi'r gwres i lawr a diffodd y goleuadau pan fyddwn ni'n gadael ystafell er mwyn arbed egni.

Mae'r rhain yn ferfau defnyddiol ar gyfer siarad am yr amgylchedd. Allwch chi eu cyfieithu i'r Gymraeg? Allwch chi ysgrifennu brawddeg gan ddefnyddio pob un? Amrywiwch eich amserau lle gallwch chi.

- aider
- protéger
- réduire
- endommager
- sauver
- polluer
- recycler
- détruire
- causer
- gaspiller
- utiliser

Depuis

Cofiwch y gall depuis gael ei ddefnyddio gyda'r amser presennol ac ymadrodd amser i olygu 'wedi/ wedi bod' – e.e.:

- Je recycle **depuis** quatre ans. Rydw i wedi bod yn ailgylchu ers pedair blynedd.

Gallwch ddefnyddio depuis gyda'r amser amherffaith i olygu 'roedd wedi bod …' – e.e.:

- Il travaillait pour Greenpeace **depuis** trois ans. Roedd wedi bod yn gweithio i Greenpeace ers tair blynedd.

TASG ARHOLIAD

Parwch 1–6 ag a–dd.

La plupart de nos déchets[1] ne sont pas biodégradables et ils mettent de nombreuses années à se décomposer. Voici des statistiques :

Les vêtements en nylon mettent trente à quarante ans à se décomposer[2].

Pour le papier et le journal, cela prend deux à trois mois et pour un chewing-gum c'est cinq ans !

Parmi les pires[3], il y a les sacs ou les bouteilles en plastique qui mettent cent à cinq cents ans à se décomposer !

Les pires, ce sont les bouteilles en verre qui mettent quatre mille ans à disparaître[4] et les piles qui mettent huit mille ans !

1 gwastraff
2 pydru
3 ymhlith y gwaethaf
4 diflannu

Cynnyrch	Yr amser mae'n ei gymryd iddyn nhw bydru
1. plastig	
2. batris	a. 30–40 o flynyddoedd
3. gwm cnoi	b. 100–500 mlynedd
4. dillad	c. 8000 o flynyddoedd
5. papur	ch. 5 mlynedd
6. poteli gwydr	d. 2–3 mis
	dd. 4000 o flynyddoedd

J'essaie d'acheter les produits issus du commerce équitable.	Rwy'n ceisio prynu nwyddau masnach deg.
Je prends un sac réutilisable et je prends les transports en commun quand je fais mes courses.	Rwy'n mynd â bag ailddefnyddiadwy ac rwy'n mynd ar drafnidiaeth gyhoeddus pan fyddaf i'n siopa.
On devrait conserver les ressources naturelles et utiliser les énergies renouvelables.	Dylen ni arbed adnoddau naturiol a defnyddio egni adnewyddadwy.
Chez moi, je recycle le carton, le papier et le verre.	Gartref, rwy'n ailgylchu cerdyn, papur a gwydr.
On ne peut pas ignorer les statistiques choquantes.	Allwn ni ddim anwybyddu'r ystadegau syfrdanol.
Il faut faire le point sur le développement durable.	Mae angen i ni ganolbwyntio ar ddatblygu cynaliadwy.
Selon les experts, l'impact de la perte de la biodiversité sera énorme.	Yn ôl yr arbenigwyr, bydd effaith colli bioamrywiaeth yn anferth.
Le secret ne réside pas toujours dans les grandes actions mais les petites choses qu'on fait tous les jours.	Nid yw'r gyfrinach bob amser yn y gweithredoedd mawr ond yn y pethau bach bob dydd.
Ce qui me préoccupe le plus, c'est l'effet de serre.	Yr hyn sy'n fy mhoeni i fwyaf yw'r effaith tŷ gwydr.
La pollution atmosphérique sera un problème grave pour l'environnement à l'avenir.	Bydd llygredd atmosfferig yn broblem ddifrifol i'r amgylchedd yn y dyfodol.
La destruction de la forêt amazonienne deviendra un problème très grave.	Bydd dinistrio coedwig law Amazonas yn dod yn broblem ddifrifol iawn.
C'est triste qu'il y ait beaucoup d'animaux en voie d'extinction.	Mae'n drist bod yna lawer o anifeiliaid mewn perygl o ddiflannu.
À l'avenir, je continuerai à réutiliser autant que possible, parce que je pense que c'est très important.	Yn y dyfodol byddaf i'n parhau i ailddefnyddio cymaint â phosibl, oherwydd rwy'n credu ei bod hi'n bwysig iawn.
Nous avons besoin d'un centre de recyclage et de plus d'espaces vertes dans notre ville.	Mae angen canolfan ailgylchu a mwy o fannau gwyrdd arnon ni yn ein tref.
Les gens sont devenus de plus en plus conscients de l'importance de l'environnement.	Mae pobl wedi mynd yn fwy ac yn fwy ymwybodol o bwysigrwydd yr amgylchedd.
Quand j'étais petit(e), je ne faisais rien pour protéger la planète.	Pan oeddwn i'n fach, doeddwn i ddim yn gwneud dim i ddiogelu'r blaned.

Ysgrifennwch frawddeg am broblem amgylcheddol gan ddefnyddio pob un o'r ansoddeiriau canlynol.

Cofiwch wneud i'r ansoddeiriau gytuno â'r enw maen nhw'n ei ddisgrifio.

> mondial – byd-eang
> dangereux – peryglus
> nocif – niweidiol
> grave – difrifol
> inquiétant – gofidus

TASG ARHOLIAD

Écris un dépliant au sujet de l'importance d'être écolo. Il faut inclure :

- Ce que tu fais pour être écolo
- L'importance de sauver la planète
- Ce que tu vas faire à la maison pour protéger l'environnement

Ceisiwch ysgrifennu tua 100 gair. Ceisiwch gadw o fewn y terfyn hwn. Nid oes marciau ychwanegol am ysgrifennu mwy na hyn! Mae'r ail bwynt bwled yn gofyn am eich safbwyntiau – ceisiwch eu cyfiawnhau cymaint â phosibl. Bydd angen i chi ddefnyddio'r amser dyfodol ar gyfer y trydydd pwynt bwled.

Quel est le problème social qui t'inquiète le plus ?
Pa broblem gymdeithasol sy'n dy boeni di fwyaf?

En ce qui me concerne, le plus grand problème du monde c'est le chômage. Je crois que les pays d'Europe doivent faire plus pour améliorer la situation.
Yn fy marn i, y broblem fwyaf yn y byd yw diweithdra. Rwy'n meddwl y dylai gwledydd Ewrop wneud mwy i wella'r sefyllfa.

Qu'est-ce qu'on peut faire pour résoudre les problèmes de pauvreté ?
Beth gallwn ni ei wneud i ddatrys problemau tlodi?

Malheureusement, il n'y a pas de solution facile. Tout le monde devrait faire quelque chose, par exemple, donner de l'argent aux associations caritatives.
Yn anffodus, does dim ateb hawdd. Dylai pawb wneud rhywbeth, er enghraifft, rhoi arian i elusennau.

Est-ce que le gouvernement devrait aider les sans-abris ? Pourquoi (pas) ?
A ddylai'r llywodraeth helpu'r digartref? Pam (ddim)?

Je pense qu'il faut absolument combattre le problème des sans-abris. À mon avis, le gouvernement devrait construire plus de logements sociaux et créer plus d'emplois.
Rwy'n meddwl y dylen ni ymladd digartrefedd ar bob cyfrif. Yn fy marn i, dylai'r llywodraeth adeiladu mwy o dai cymdeithasol a chreu mwy o swyddi.

Qu'est-ce que tu as fait récemment pour aider les autres ?
Beth rwyt ti wedi'i wneud yn ddiweddar i helpu pobl eraill?

J'ai contribué à une organisation caritative et j'ai aidé à organiser une vente de gâteaux au collège.
Cyfrannais i at elusen ac fe helpais i i drefnu stondin gacennau yn yr ysgol.

Qu'est-ce que tu aimerais faire pour aider les autres ?
Beth hoffet ti ei wneud i helpu pobl eraill?

Je voudrais aider les enfants défavorisés et, après mes examens, j'ai l'intention de collecter de l'argent et de faire du bénévolat.
Hoffwn i helpu plant difreintiedig ac, ar ôl fy arholiadau, rwy'n bwriadu codi arian a gwneud gwaith gwirfoddol.

Sut i siarad am faterion cymdeithasol:

- Dywedwch pa fater byd-eang sy'n eich poeni chi a defnyddiwch ferfau priodol i roi eich barn – e.e. *ce qui m'inquiète c'est…* Gallech esbonio pa fath o broblemau mae'r mater hwn yn eu hachosi neu sut mae'n effeithio ar bobl, a gallech chi hefyd fynegi eich barn am beth fydd yn digwydd yn y dyfodol.
- Rhaid i chi roi nifer o resymau pam mae helpu pobl eraill yn bwysig. Gallech chi hefyd sôn am beth rydych chi wedi'i wneud yn ddiweddar i helpu pobl eraill – e.e. digwyddiadau elusennol yn yr ysgol, codi arian, gwirfoddoli. Peidiwch â phoeni os nad ydych chi wedi gwneud unrhyw un o'r pethau hyn – defnyddiwch eich dychymyg!
- Gallwch chi hefyd sôn am beth gall unigolion ei wneud – e.e. **tout le monde peut…**, neu beth dylen nhw ei wneud – e.e. **tout le monde devrait…**, a beth dylai'r llywodraeth ei wneud – e.e. **le gouvernement devrait…** Mae hwn yn gyfle da i gynnwys y modd dibynnol os gallwch chi wneud hynny – e.e. **Le problème le plus grave que nous ayons rencontré chez nous, c'est les SDF (sans domicile fixe).**

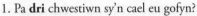

Atebwch y cwestiynau yn Gymraeg.
Est-ce que tu es lycéen(ne) ?
As-tu entre seize et dix-huit ans ?
Est-ce que tu veux changer des choses ?
Nous avons mille jeunes ambassadeurs en France qui aident l'UNICEF et les enfants défavorisés dans le monde. Si tu penses que tu peux nous aider, contacte-nous sur le site web, www.unicef.fr.

1. Pa **dri** chwestiwn sy'n cael eu gofyn?
2. Faint o lysgenhadon ifanc sydd gan UNICEF Ffrainc?
3. Pwy sy'n cael cymorth gan yr elusen?
4. Sut gallwch chi wneud cais i fod yn llysgennad?

Darllenwch y testun unwaith, yna darllenwch y cwestiynau, yna darllenwch y testun eto. Defnyddiwch eiriau cytras (geiriau sy'n debyg i'r rhai Saesneg/ Cymraeg) neu eiriau cytras agos i'ch helpu i weithio allan ystyr rhai geiriau.

TASG ARHOLIAD

MATERION CYMDEITHASOL

De nos jours, le problème du chômage devient plus inquiétant.	Y dyddiau hyn, mae problem diweithdra yn peri mwy o bryder.
Il y a des milliers de gens qui n'ont pas assez à manger.	Mae yna filoedd o bobl sydd heb ddigon i'w fwyta.
Notre gouvernement devrait donner de l'aide aux pays en voie de développement.	Dylai ein llywodraeth roi cymorth i wledydd sy'n datblygu.
C'est un problème qui touche un grand nombre de pays européens.	Mae'n broblem sy'n effeithio ar nifer fawr o wledydd Ewropeaidd.
Au cours des dernières années on a vu le problème s'amplifier.	Dros y blynyddoedd diwethaf, rydyn ni wedi gweld y broblem yn cynyddu.
Il est nécessaire de protéger les droits de l'homme.	Mae'n angenrheidiol diogelu hawliau dynol.
Les SDF sont confrontés à de nombreux problèmes tels que la faim, le chômage et l'alcoolisme.	Mae pobl ddigartref yn wynebu problemau niferus fel prinder bwyd, diweithdra ac alcoholiaeth.
Il faut promouvoir l'égalité des chances et lutter contre le racisme.	Mae'n rhaid i ni hyrwyddo cyfle cyfartal ac ymladd yn erbyn hiliaeth.
J'aimerais aller à une manifestation pour protester contre la discrimination.	Hoffwn i fynd i wrthdystiad i brotestio yn erbyn gwahaniaethu.
En vérité, ce problème menace notre société.	Mewn gwirionedd, mae'r broblem hon yn bygwth ein cymdeithas.
Le gouvernement devrait consacrer plus d'argent à combattre ces problèmes.	Dylai'r llywodraeth roi mwy o arian i ymladd y problemau hyn.
Il y a beaucoup de gens qui pensent qu'il faut aider les enfants défavorisés.	Mae llawer o bobl sy'n meddwl bod yn rhaid i ni helpu plant difreintiedig.
Beaucoup de gens sont victimes de la crise économique.	Mae llawer o bobl wedi dioddef oherwydd yr argyfwng economaidd.
Il faut faire plus pour résoudre le problème du chômage.	Mae'n rhaid gwneud mwy i ddatrys problem diweithdra.

Awgrymiadau ar gyfer y sgwrs:

- Gwrandewch ar y cwestiwn yn ofalus. Gweithiwch allan a yw'r cwestiwn a ofynnwyd yn defnyddio'r amser presennol, y gorffennol neu'r dyfodol fel y gallwch chi ddefnyddio'r un amser yn eich ateb.
- Siaradwch yn glir ac yn uchel.
- Peidiwch â phoeni os ydych chi'n oedi. Peidiwch â defnyddio 'ym' neu 'y' fel y gwnawn ni yn Gymraeg, ond ceisiwch ddefnyddio rhai geiriau Ffrangeg yn lle hynny, er enghraifft **alors**... neu **ben**...
- Rhowch reswm neu farn pryd bynnag y gallwch chi – peidiwch ag ateb 'ydw' neu 'nac ydw' – **oui** neu **non** yn unig. Dysgwch dair ffordd wahanol o fynegi 'Rwy'n meddwl bod' neu 'yn fy marn i' yn Ffrangeg a cheisiwch eu defnyddio yn eich atebion.
- Siaradwch ddigon! Y sgwrs yw eich cyfle chi i ddangos beth rydych chi'n gallu ei wneud.

TASG ARHOLIAD

Dyma rai cwestiynau posibl y gallwch chi baratoi atebion ar eu cyfer. Ewch drostyn nhw yn uchel a gweithiwch ar eich acen.

- Quels sont les problèmes sociaux qui t'inquiètent le plus ? Pa faterion cymdeithasol sy'n dy boeni di fwyaf?
- Quelle est ton organisation caritative préférée ? Pourquoi ? Pa un yw dy hoff elusen? Pam?
- Comment est-ce qu'on peut aider les personnes défavorisées ? Sut mae'n bosibl helpu pobl ddifreintiedig?
- Qu'est-ce que tu as fait au collège pour aider les autres ? Beth rwyt ti wedi'i wneud yn yr ysgol i helpu pobl eraill?
- Que fais-tu pour les organisations caritatives ? Beth rwyt ti'n ei wneud ar ran elusennau?
- Que feras-tu à l'avenir pour aider les organisations caritatives ? Beth wnei di yn y dyfodol i helpu elusennau?

ASTUDIAETH GYFREDOL, ASTUDIAETH YN Y DYFODOL A CHYFLOGAETH

ASTUDIAETH GYFREDOL

Mae is-thema **Astudiaeth Gyfredol** yn cael ei rhannu yn ddwy ran. Dyma rai awgrymiadau am bynciau i'w hadolygu:

BYWYD YSGOL/COLEG

- diwrnod ysgol
- cymharu'r system ysgol mewn gwahanol wledydd
- cyfleusterau'r ysgol
- teithiau ysgol
- clybiau
- rheolau a rheoliadau
- manteision ac anfanteision gwisg ysgol

ASTUDIAETHAU YSGOL/COLEG

- pynciau a safbwyntiau
- arholiadau
- llwyth gwaith
- manteision ac anfanteision gwaith cartref
- problemau astudio
- pwysigrwydd addysg

BYWYD YSGOL/COLEG

Que penses-tu de l'uniforme scolaire ?
Beth yw dy farn di am wisg ysgol?

> Je trouve que c'est pratique et assez confortable. C'est une bonne idée, car comme ça on est tous égaux. Par contre, on ne peut pas montrer son individualité. Personnellement, je préfèrerais m'habiller comme je veux !
> Rwy'n meddwl ei bod hi'n ymarferol ac yn eithaf cyfforddus. Mae'n syniad da oherwydd fel yna mae pawb yn gyfartal. Ar y llaw arall, allwch chi ddim dangos eich personoliaeth. Yn bersonol, byddai'n well gen i wisgo sut rydw i eisiau.

Que fais-tu comme activités extra-scolaires ?
Pa weithgareddau allgyrsiol rwyt ti'n eu gwneud?

> En ce moment je ne fais rien car j'ai trop de devoirs mais l'année dernière je faisais de l'athlétisme. Après mes examens je voudrais recommencer ces activités.
> Ar hyn o bryd, dydw i ddim yn gwneud unrhyw beth gan fod gen i ormod o waith cartref ond y llynedd roeddwn i'n gwneud athletau. Ar ôl fy arholiadau, hoffwn i ailddechrau'r gweithgareddau hyn.

Comment sont tes professeurs ?
Sut rai yw dy athrawon?

> Nous avons de la chance, parce que les professeurs sont très patients et toujours prêts à nous aider. Cependant, il y en a ceux qui sont trop stricts aussi !
> Rydyn ni'n lwcus, oherwydd mae'r athrawon yn amyneddgar iawn a bob amser yn barod i'n helpu. Fodd bynnag, mae yna rai hefyd sy'n rhy lym!

Qu'est-ce que tu as fait au collège hier ?
Beth wnest ti yn yr ysgol ddoe?

> Hier j'ai eu deux examens, donc c'était une journée très longue. J'espère que je vais réussir !
> Ddoe roedd gen i ddau arholiad felly roedd yn ddiwrnod hir iawn. Gobeithio fy mod i'n mynd i lwyddo!

Comment serait ton collège idéal ?
Sut un fyddai dy ysgol ddelfrydol?

Nous n'avons pas de bonnes installations, donc mon collège idéal aurait un terrain de sport et une piscine olympique. Pour moi, le sport est très important.

Does gennym ni ddim cyfleusterau da iawn felly byddai gan fy ysgol ddelfrydol faes chwarae a phwll nofio Olympaidd. Mae chwaraeon yn bwysig iawn i mi.

AMADEG

Amser perffaith (gorffennol) gydag avoir

Mae'r rhan fwyaf o ferfau yn cael eu ffurfio yn yr amser perffaith drwy ddefnyddio amser presennol avoir.

Terfyniadau berfau:

- berfau -er – e.e. étudier → étudié
- berfau -ir – e.e. finir → fini
- berfau -re – e.e. vendre → vendu

I ffurfio'r amser perffaith, mae angen i chi yn gyntaf ychwanegu amser presennol avoir.

J'ai étudié – astudiais i

Amser perffaith (gorffennol) gydag être

Mae'r rhestr hon yn dangos yr holl ferfau sy'n defnyddio amser presennol être i ffurfio'r amser perffaith. Mae pob berf atblygol yn cael ei ffurfio yn yr un ffordd.

aller – mynd
arriver – cyrraedd
descendre – mynd i lawr
devenir – mynd/dod yn
entrer – mynd i mewn
monter – mynd i fyny
mourir – marw
naître – cael eich geni
partir – gadael
rentrer – mynd yn ôl, dod yn ôl
rester – aros
retourner – mynd yn ôl, dod yn ôl
sortir – mynd allan
tomber – syrthio
venir – dod

Gan eu bod yn cael eu ffurfio gydag amser presennol être, bydd yn rhaid i derfyniadau'r berfau gytuno â'r goddrych – e.e. Je suis arrivé(e) – cyrhaeddais i nous sommes allé(e)s – aethon ni.

TASG ARHOLIAD

Darllenwch y darn hwn o destun llenyddol. Atebwch y cwestiynau yn Gymraeg.

Je suis assis à côté de Delphine, c'est le prof de maths qui nous a placés. Les garçons sont assis à côté des filles pour éviter le bavardage. J'ai eu ce prof l'an dernier. Aucun bruit n'est toléré en classe, autrement c'est la porte !

Le prof nous a demandé d'écrire en haut de la page. Nous avons dû marquer notre nom et prénom en lettres majuscules ainsi que le numéro de la classe. Après les maths nous sommes allés au cours d'espagnol et là il y avait du bruit et le prof a dû taper dans les mains pour avoir du silence.

Sylwch: mae'r rhan fwyaf o'r berfau yn y darn hwn yn yr amser perffaith.

1. Ble roedd yn rhaid i'r awdur eistedd a pham?
2. Pam roedd yn rhaid i'r bechgyn eistedd drws nesaf i'r merched?
3. Sut rydyn ni'n gwybod bod yr athro yn llym?
4. Beth roedd yn rhaid i'r disgyblion ei ysgrifennu ar frig y dudalen?
5. Pa wers oedd gan y disgyblion ar ôl Mathemateg?

Gall cwestiynau ar destunau llenyddol fod yn hirach a bydd angen meddwl mwy amdanyn nhw na'r cwestiynau ar ddechrau'r papur, felly gwnewch yn siŵr eich bod chi'n gadael digon o amser i'w hateb.

Les bâtiments de mon collège sont un peu vieux, mais heureusement nous avons des ressources très modernes.

Mae adeiladau fy ysgol i braidd yn hen, ond yn ffodus mae gennym ni adnoddau modern iawn.

Le règlement de mon collège est assez sévère, mais je suis d'accord avec la plupart des règles.

Mae rheolau fy ysgol i yn eithaf llym ond rwy'n cytuno â'r rhan fwyaf o'r rheolau.

J'estime que mon collège est trop strict, parce que les portables sont interdits.

Rwy'n meddwl bod fy ysgol i yn rhy lym oherwydd ni chaniateir ffonau symudol.

C'est dommage que certains élèves ne respectent pas les professeurs et ne se comportent pas bien.

Mae'n drueni nad yw rhai disgyblion yn parchu'r athrawon nac yn ymddwyn yn dda.

Malheureusement, le harcèlement fait partie de la vie scolaire.

Yn anffodus, mae bwlio yn rhan o fywyd ysgol.

Il est extrêmement difficile de résoudre ce problème mais les parents, les élèves et les professeurs doivent travailler ensemble.

Mae'n hynod o anodd datrys y broblem ond mae'n rhaid i rieni, disgyblion ac athrawon weithio gyda'i gilydd.

De nos jours les examens sont très importants, donc en général il y a une bonne ambiance de travail.

Y dyddiau hyn, mae arholiadau yn bwysig iawn felly yn gyffredinol mae awyrgylch gweithio da.

Les professeurs pensent qu'on se comporte mieux quand on porte un uniforme scolaire.

Mae'r athrawon yn meddwl eich bod chi'n ymddwyn yn well pan fyddwch chi'n gwisgo gwisg ysgol.

Je dirais que l'uniforme scolaire réduit les inégalités entre riches et pauvres.

Byddwn i'n dweud bod gwisg ysgol yn lleihau anghyfartaledd rhwng y cyfoethog a'r tlawd.

Je suis contre l'uniforme scolaire, puisque ce n'est pas à la mode et cela tient trop chaud en été.

Rydw i yn erbyn gwisg ysgol oherwydd nad yw'n ffasiynol ac mae'n eich gwneud chi'n rhy boeth yn yr haf.

Les activités extra-scolaires nous permettent d'atteindre un équilibre entre le travail scolaire et les loisirs.

Mae gweithgareddau allgyrsiol yn caniatáu i ni gael cydbwysedd rhwng gwaith ysgol a hamdden.

Pendant la récréation, normalement je bavarde avec mes copains et je mange un snack.

Amser chware, rydw i fel arfer yn sgwrsio â'm ffrindiau ac rwy'n bwyta byrbryd.

Pendant la pause déjeuner, je mange à la cantine. Il y a beaucoup de choix et les repas sont assez sains – par exemple, il n'y a pas de frites !

Amser cinio, rwy'n bwyta yn y ffreutur. Mae llawer o ddewis ac mae'r prydau yn eithaf iach – er enghraifft, does dim sglodion!

Efallai y bydd gofyn i chi ddisgrifio eich diwrnod ysgol yn eich arholiad siarad neu ysgrifennu. Edrychwch ar y disgrifiad hwn:
On commence à neuf heures moins le quart et on finit à trois heures. On a cinq cours par jour et chaque cours dure cinquante-cinq minutes. Il y a une récréation à onze heures et une pause déjeuner à midi et demi.

Ceisiwch beidio â rhoi atebion fel hyn drwy'r amser. Mae'r Ffrangeg yn gywir ond mae'n un rhestr hir! Nid oes barn, na chyfiawnhad, na rhesymau ac mae'r cyfan mewn un amser. Byddai hwn yn ateb llawer gwell:

On commence à neuf heures moins le quart et on finit à trois heures. À mon avis, c'est une journée trop longue. On a cinq cours par jour et chaque cours dure cinquante-cinq minutes. Hier j'ai eu deux cours de maths – c'était ennuyeux ! Il y a une récréation à onze heures et une pause déjeuner à midi et demi. Pendant la récré j'adore bavarder avec mes copains.

TASG ARHOLIAD

Cofiwch:
Yn eich chwarae rôl, bydd yn rhaid i chi ddefnyddio'r amser presennol yn ogystal ag o leiaf un amser arall. Cadwch olwg am eiriau 'sbardun' sy'n dangos i chi pa amser i'w ddefnyddio – e.e. mae ddoe a'r penwythnos diwethaf yn dangos bod angen i chi ddefnyddio'r amser gorffennol, ac mae yfory a'r wythnos nesaf yn dangos bod angen i chi ddefnyddio'r amser dyfodol.

Os nad oes geiriau sbardun – fel yn y ddau bwynt bwled cyntaf sy'n dilyn – yna bydd angen i chi ddefnyddio'r amser presennol.

- Disgrifiwch eich ysgol.
- Rhowch eich barn am wisg ysgol.
- Dywedwch beth wnaethoch chi amser egwyl ddoe.
- Dywedwch pa waith cartref wnaethoch chi yr wythnos diwethaf.
- Dywedwch beth byddwch chi'n ei wneud yfory ar ôl yr ysgol.
- Dywedwch pa bynciau byddwch chi'n eu hastudio yr wythnos nesaf.

Quelle est ta matière préférée ? Pourquoi ?
Beth yw dy hoff bwnc? Pam?

Ma matière préférée en ce moment c'est l'histoire, car le travail est fascinant et le prof est amusant. En plus, mes amis étudient cette matière avec moi et nous avons de la chance parce que le prof ne nous donne pas trop de devoirs.
Fy hoff bwnc ar hyn o bryd yw Mathemateg gan fod y gwaith yn ddiddorol iawn a'r athro yn ddoniol. Hefyd, mae fy ffrindiau yn astudio'r pwnc gyda fi ac rydyn ni'n lwcus gan nad yw'r athro yn rhoi gormod o waith cartref i ni.

Penses-tu que les examens sont importants ?
Wyt ti'n meddwl bod arholiadau yn bwysig?

Les examens sont indispensables si on veut réussir dans la vie. Je suis complètement obsédé(e) par mes notes et je ne sais pas ce qui va se passer si je ne réussis pas.
Mae arholiadau yn hanfodol os ydych chi eisiau llwyddo mewn bywyd. Mae gen i obsesiwn am fy ngraddau a dydw i ddim yn gwybod beth wnaf i os na lwyddaf i.

Est-ce que qu'il y a trop de pression au collège ?
Oes gormod o bwysau yn yr ysgol?

Oui, mes parents et mes profs me stressent, tout est stressant ! Si on ne fait pas assez de progrès, on doit travailler plus dur. J'ai trop de contrôles à préparer et on a trop de devoirs.
Oes, mae fy rhieni a'm hathrawon yn rhoi pwysau arnaf i, mae popeth yn straen! Os nad ydych chi'n gwneud digon o gynnydd, mae'n rhaid i chi weithio'n galetach. Mae gen i ormod o brofion i adolygu ar eu cyfer ac mae gennym ni ormod o waith cartref.

Qu'est-ce que tu as fait comme devoirs le weekend dernier ?
Pa waith cartref wnest ti y penwythnos diwethaf?

J'ai eu tellement de devoirs le weekend dernier que j'ai dû renoncer à toute activité extra-scolaire. C'était épuisant.
Roedd gen i gymaint o waith cartref y penwythnos diwethaf fel y bu'n rhaid i mi roi'r gorau i'm holl weithgareddau allgyrsiol. Roedd hi'n lladdfa.

Qu'est-ce que tu vas étudier l'année prochaine ?
Beth rwyt ti'n mynd i'w astudio y flwyddyn nesaf?

J'ai toujours de bonnes notes en sciences et j'adore faire des expériences donc je vais continuer avec la biologie, mais je dois choisir entre la chimie et la physique. Je vais laisser tomber la géographie, car je ne m'intéresse pas du tout à cette matière.

Rydw i bob amser wedi cael graddau da mewn Gwyddoniaeth ac rydw i wrth fy modd yn gwneud arbrofion felly rwy'n mynd i barhau â Bioleg, ond mae'n rhaid i mi ddewis rhwng Cemeg a Ffiseg. Rwy'n mynd i ollwng Daearyddiaeth oherwydd does gen i ddim diddordeb yn y pwnc o gwbl.

Rydych chi'n debygol o gael o leiaf un cwestiwn dewis lluosog yn eich arholiad darllen a/neu gwrando.

Gall y cwestiwn fod yn Gymraeg neu yn Ffrangeg neu gall ddefnyddio lluniau. Awgrymiadau:

• Peidiwch ag ateb yn rhy fuan! Gwnewch yn siŵr eich bod yn darllen yr opsiynau **i gyd** cyn dewis eich ateb. Peidiwch â stopio pan ddewch chi at yr ateb sy'n ymddangos yr un mwyaf tebygol.

• Gall rhai o'r atebion fod yn ceisio eich twyllo chi'n fwriadol! Gall sawl dewis ymddangos yn gywir, felly mae'n bwysig darllen y testun a'r cwestiynau yn ofalus.

• Os nad ydych chi'n siŵr am ateb, dyfalwch … ond gwnewch hynny'n bwyllog. Dilëwch rai dewisiadau rydych chi'n gwybod eu bod nhw'n anghywir. Ceisiwch gyfyngu'r ateb i un neu ddau ddewis ac yna cymharwch nhw. Yn olaf, gwnewch benderfyniad cytbwys.

SG ARHOLIAD

Nawr, ewch ati i ymarfer eich strategaethau dewis lluosog ar y dasg hon.

Choisis la bonne réponse.

Nous avons deux types de classes – monolingue (ça veut dire que tous les cours sont en français) et bilingue (la moitié des cours sont en français et l'autre moitié en breton). Ce sont les familles qui choisissent. Aujourd'hui par exemple, les enfants ont les maths et le français le matin en langue française. Et l'après-midi, on enseigne l'histoire-géo en breton.

On fait aussi la gymnastique en breton et en français. Cette année nous avons cinquante élèves qui suivent les cours en classes bilingues et trente-huit élèves qui suivent les cours seulement en français.

1. Il y a combien de sortes de classes ?
   a. 2
   b. 8
   c. 10
2. Dans une classe monolingue, on parle…
   a. le breton et l'anglais
   b. le français
   c. le breton et le français

3. Dans une classe bilingue, on parle…
   a. le breton et l'anglais
   b. le français
   c. le breton et le français
4. Qui fait le choix de la classe ?
   a. Le professeur
   b. L'élève
   c. Les parents et l'élève
5. Le matin on étudie…
   a. les maths et l'histoire
   b. les maths et le français
   c. le français et le breton
6. Comme sport on fait…
   a. du judo
   b. de la danse
   c. de la gymnastique
7. Il y combien d'élèves dans les classes bilingues ?
   a. 15
   b. 38
   c. 50

ASTUDIAETHAU YSGOL/COLEG

Je suis bon(ne) élève et maintenant j'essaie toujours de réussir.	Rwy'n fyfyriwr da a nawr rydw i bob amser yn ceisio llwyddo.
Le prof explique tout très bien et les cours sont toujours stimulants.	Mae'r athro'n esbonio'n dda ac mae'r gwersi bob amser yn ysgogol.
Je m'ennuie pendant les cours et le prof nous donne trop de devoirs.	Rwy'n diflasu yn y gwersi ac mae'r athro'n rhoi gormod o waith cartref i ni.
Franchement je suis nul(le) en anglais et les cours ne sont jamais intéressants.	A dweud y gwir, rwy'n dda i ddim yn Saesneg a dydy'r gwersi byth yn ddiddorol.
Cette matière (ne) sera (pas) utile pour moi à l'avenir.	Bydd (ni fydd) y pwnc hwn yn ddefnyddiol i mi yn y dyfodol.
Je suis fort(e) en musique et je me passionne pour cette matière.	Rwy'n dda mewn Cerddoriaeth ac rydw i wrth fy modd â'r pwnc hwn.
Je suis faible en dessin, donc le prof me donne toujours de mauvaises notes.	Dydw i ddim cystal mewn Celf, felly mae'r athro bob amser yn rhoi marciau gwael i mi.
J'ai toujours adoré les maths, car j'aime faire des calculs.	Rydw i bob amser wedi dwlu ar Fathemateg, gan fy mod i'n hoffi gwneud cyfrifiadau.
Certaines matières sont essentielles pour trouver un bon travail – par exemple, les langues.	Mae rhai pynciau'n hanfodol ar gyfer dod o hyd i swydd dda – er enghraifft, ieithoedd.
J'ai du mal à me concentrer en classe.	Rwy'n ei chael hi'n anodd canolbwyntio yn y dosbarth.
Si j'avais su l'importance de la préparation pour les examens, j'aurais commencé plus tôt.	Pe bawn i wedi gwybod pa mor bwysig yw paratoi ar gyfer arholiadau, byddwn i wedi dechrau'n gynt.
J'ai peur de décevoir mes parents.	Mae gen i ofn siomi fy rhieni.
Le stress des examens m'empêche de dormir et de manger normalement.	Mae straen arholiadau yn fy rhwystro rhag cysgu a bwyta'n normal.
La première cause de stress chez les jeunes semble être les études.	Prif achos straen ymhlith pobl ifanc yw gwaith ysgol, mae'n debyg.
Il faut établir un programme de révisions pour éviter le stress.	Mae'n rhaid i chi greu rhaglen adolygu er mwyn osgoi straen.
L'année dernière, je détestais mes profs parce qu'ils étaient stricts et ennuyeux.	Y llynedd, roeddwn i'n casáu fy athrawon achos eu bod nhw'n llym ac yn ddiflas.
À l'école primaire, les profs étaient très attentifs et rendaient les cours amusants.	Yn yr ysgol gynradd, roedd fy athrawon yn garedig iawn ac yn gwneud y gwersi'n hwyl.
Avant, j'étudiais la chimie mais c'était trop difficile.	O'r blaen, roeddwn i'n arfer astudio Cemeg ond roedd yn rhy anodd.

Cofiwch y byddwch chi'n cael eich marcio am gywirdeb ar y Haen Sylfaenol ac ar yr Haen Uwch.

Gwiriwch y sillafu, yr acenion, cenedl enwau, ffurfiau'r lluosog a'r amserau yn ofalus.

Cofiwch gynnwys amserau ychwanegol, os oes modd, i ddangos eich gwybodaeth ramadegol. Yn y dasg hon, er enghraifft, gofynnir i chi ysgrifennu am eich ysgol gynradd (amser gorffennol) a'ch cynlluniau ar gyfer mis Medi (amser dyfodol). Yna beth am geisio siarad am eich ysgol ddelfrydol neu beth hoffech chi ei wneud yn y dyfodol hefyd (amser amodol)?

Fel yn achos rhan sgwrsio yr arholiad siarad, dyma eich cyfle chi i ddangos beth rydych chi'n gallu ei wneud. Os nad ydych chi'n hollol siŵr sut mae dweud rhywbeth, ysgrifennwch ef mewn ffordd arall – does dim rhaid iddo fod yn wir cyn belled â'i fod yn gwneud synnwyr!

Chi sy'n rheoli'r arholiad hwn ond peidiwch ag ysgrifennu beth rydych chi eisiau yn unig – gwnewch yn siŵr eich bod yn ateb y cwestiwn ac yn treulio'r un faint o amser ar y tri phwynt bwled!

TASG ARHOLIAD

Écris un article pour le site web de ton collège. Écris au sujet de :
- Ton école primaire (passé)
- Ton collège (présent)
- Ce que tu vas faire en septembre comme matières (futur)

ASTUDIAETH GYFREDOL, ASTUDIAETH YN Y DYFODOL A CHYFLOGAETH

MENTER, CYFLOGADWYEDD A CHYNLLUNIAU AR GYFER Y DYFODOL

Mae is-thema **Menter, Cyflogadwyedd a Chynlluniau ar gyfer y Dyfodol** wedi'i rhannu yn bedair rhan. Dyma rai awgrymiadau am bynciau i'w hadolygu:

CYFLOGAETH

- manteision ac anfanteision cyflogaeth a phrofiad gwaith
- cynilo arian
- arian poced
- gwaith gwirfoddol
- swyddi rhan amser
- sut rydych chi'n gwario'r arian rydych chi'n ei ennill

SGILIAU A RHINWEDDAU PERSONOL

- nodweddion personoliaeth
- sgiliau personol
- sgiliau ar gyfer gwahanol swyddi
- llythyrau cais
- cyfweliadau swydd

ASTUDIAETH ÔL-16

- ceisiadau am swyddi a choleg
- llythyrau ffurfiol
- CVs
- cyfweliadau – e.e. ar gyfer gwaith, y coleg a'r brifysgol
- hysbysebion swyddi a chyrsiau

CYNLLUNIAU GYRFA

- opsiynau hyfforddi ac astudio
- cyfleoedd gwaith
- gweithio dramor
- cynlluniau ar gyfer y dyfodol
- cyfweliad mewn asiantaeth gyflogaeth

CYFLOGAETH

Que fais-tu pour gagner de l'argent ?
Beth rwyt ti'n ei wneud i ennill arian?

Avant je travaillais dans un magasin et c'était un travail assez bien payé, mais maintenant j'ai trop de travail scolaire. J'ai de la chance, parce que mes parents me donnent de l'argent de poche chaque semaine si j'aide à la maison.
O'r blaen, roeddwn i'n arfer gweithio mewn siop ac roedd yn waith oedd yn talu'n eithaf da ond nawr mae gen i ormod o waith ysgol. Rwy'n lwcus gan fod fy rhieni yn rhoi arian poced i mi bob wythnos os byddaf i'n helpu gartref.

Est-ce qu'il est important de travailler pendant les vacances scolaires ?
A yw hi'n bwysig gweithio yn ystod gwyliau'r ysgol?

En général, je pense que c'est une bonne idée pour les jeunes de travailler pendant les vacances. Ça donne aux jeunes l'occasion d'apprendre de nouvelles choses et de gagner de l'argent.
Yn gyffredinol, rwy'n meddwl ei bod hi'n syniad da bod pobl ifanc yn gweithio yn ystod y gwyliau. Mae'n rhoi cyfle i bobl ifanc ddysgu pethau newydd ac ennill arian.

Quels sont les aspects négatifs d'un petit boulot ?
Beth yw agweddau negyddol cael swydd ran amser/achlysurol?

Mes copains me disent que leurs petits boulots ne sont pas bien payés. Le travail peut être monotone et on n'a pas assez de temps pour faire le travail scolaire.
Mae fy ffrindiau yn dweud wrtha i nad yw eu swyddi rhan amser yn talu'n dda. Gall y gwaith fod yn undonog a does gennych chi ddim digon o amser i wneud gwaith ysgol.

Qu'est-ce que tu aimerais faire comme travail pendant les vacances ?
Beth hoffet ti ei wneud fel gwaith gwyliau?

J'aimerais travailler en plein air comme moniteur/monitrice de natation. Ça me permettrait d'aider les autres et je pense que le travail serait varié.
Hoffwn i weithio yn yr awyr agored fel hyfforddwr nofio. Byddai hynny'n fy ngalluogi i helpu pobl eraill ac rwy'n meddwl y byddai'r gwaith yn amrywiol.

Est-ce que tu as fait un stage ?
Wyt ti wedi gwneud profiad gwaith?

Non, je n'ai jamais travaillé et je n'ai pas eu l'occasion de faire un stage en entreprise. Un jour je voudrais devenir journaliste, donc je devrais faire un stage dans le bureau du journal régional.
Nac ydw, dydw i erioed wedi gweithio a dydw i ddim wedi cael y cyfle i wneud profiad gwaith. Un diwrnod hoffwn i fod yn newyddiadurwr, felly dylwn i wneud profiad gwaith mewn swyddfa papur lleol.

Mae'r berfenw perffaith yn cael ei ffurfio drwy ddefnyddio berfenw avoir neu ferfenw être a rhangymeriad gorffennol y ferf. Mae'n golygu 'bod wedi (gwneud)'.

Mae'n cael ei ddefnyddio amlaf gyda'r geiriau après avoir neu après être (ar ôl (gwneud)) – e.e. **Après avoir** fini le travail, nous sommes allés manger au restaurant. (Ar ôl gorffen gwaith, aethon ni i fwyta yn y bwyty.)

Cofiwch, wrth ddefnyddio être yn yr amser perffaith, bydd yn rhaid i'r rhangymeriad gorffennol gytuno – e.e. Après être arrivé(e) au travail, j'ai bu un café. (Ar ôl cyrraedd y gwaith, yfais i goffi.)

AMADEG

Ysgrifennwch ddiwedd addas ar gyfer y brawddegau hyn.
1. Après avoir fait un stage, _____.
2. Après être allé(e) au travail, _____.
3. Après avoir trouvé un emploi, _____.
4. Après avoir parlé avec le patron, _____.

Atebwch y cwestiynau yn Gymraeg.

Mylène : Je suis allée à Londres pour travailler comme au pair avec une famille. J'ai amélioré mon anglais et en même temps j'ai gagné de l'argent de poche.

Sylvie : Je suis restée chez moi. Je garde des animaux pour les voisins quand ils sont en vacances. J'aime bien promener les chiens.

Alain : Moi, je suis moniteur dans un club de vacances. Je m'occupe des enfants et je suis moniteur de voile aussi. Cela me permet d'avoir de l'expérience et de l'argent.

1. Pam aeth Mylène i Lundain? Pa **ddau** fantais mae hi'n eu crybwyll?
2. Sut mae Sylvie yn ennill arian? Sut rydyn ni'n gwybod ei bod hi'n hoffi ei swydd?
3. Pa **ddau** weithgaredd mae Alain yn eu gwneud?

TASG ARHOLIAD

CYFLOGAETH

Je pense que faire un stage en entreprise est une bonne préparation pour la vie.	Rwy'n meddwl bod gwneud profiad gwaith mewn cwmni yn baratoad da ar gyfer bywyd.
Si on veut trouver un bon travail un jour, ce sera nécessaire de faire un stage.	Os ydych chi eisiau cael swydd dda ryw ddydd, bydd hi'n angenrheidiol gwneud profiad gwaith.
Il faut travailler dur à l'école pour réussir aux exams, donc je n'ai pas assez de temps pour faire un petit boulot.	Mae'n rhaid i chi weithio'n galed yn yr ysgol i lwyddo yn yr arholiadau, felly does gen i ddim amser i gael gwaith rhan amser/achlysurol.
J'ai beaucoup apprécié mon stage et j'ai appris beaucoup de choses.	Gwnes i werthfawrogi fy mhrofiad gwaith yn fawr ac fe ddysgais i lawer o bethau.
On me donnait des choses intéressantes à faire et je m'entendais bien avec mon patron.	Roedden nhw'n rhoi pethau diddorol i mi eu gwneud ac roeddwn i'n dod ymlaen yn dda gyda fy mòs.
Avant, les élèves de mon collège faisaient un stage en entreprise, mais maintenant ce n'est pas possible.	O'r blaen, roedd disgyblion yn fy ysgol yn arfer gwneud profiad gwaith ond nawr nid yw hyn yn bosibl.
Je voudrais trouver un petit boulot qui me permettra d'utiliser mes langues étrangères.	Hoffwn i ddod o hyd i waith rhan amser/dros dro a fydd yn caniatáu i mi ddefnyddio fy ieithoedd tramor.
J'ai de la chance, parce que je rencontre beaucoup de gens au travail et je ne m'ennuie jamais.	Rwy'n lwcus, oherwydd rwy'n cyfarfod â llawer o bobl yn y gwaith a dydw i byth yn diflasu.
Je pense qu'un stage permet aux jeunes de mieux connaître un métier particulier.	Rwy'n credu bod profiad gwaith yn caniatáu i bobl ifanc ddod i adnabod swydd arbennig yn well.
J'ai des économies grâce à l'argent reçu pour mon anniversaire.	Mae gen i rai cynilion, diolch i arian a ges i ar fy mhen-blwydd.
Je réfléchis toujours avant de dépenser mon argent.	Rydw i bob amser yn meddwl cyn gwario fy arian.
Je dépense mon argent dès que je le reçois et je ne fais jamais d'économies.	Rwy'n gwario fy arian cyn gynted ag rwy'n ei dderbyn a dydw i byth yn cynilo.
Je peux acheter dés choses que mes parents ne veulent pas me payer.	Rwy'n gallu prynu pethau dydy fy rhieni ddim eisiau prynu i mi.
L'argent de poche me donne une certaine indépendance, car il me permet d'acheter ce que je veux.	Mae arian poced yn rhoi ychydig o annibyniaeth i mi gan ei fod yn caniatáu i mi brynu'r hyn rydw i eisiau.
L'argent que je gagne me rend plus indépendant(e) et me permet d'apprendre la valeur des choses.	Mae'r arian rwy'n ei ennill yn fy ngwneud yn fwy annibynnol ac yn fy ngalluogi i ddysgu gwerth pethau.
Si je trouvais un petit boulot et je gagnais de l'argent, j'apprendrais à devenir plus responsable.	Pe bawn i'n dod o hyd i waith dros dro ac yn ennill arian, byddwn i'n dysgu bod yn fwy cyfrifol.

Mynegi barn:

Pour moi/À mon avis/Selon moi/Pour ma part – Yn fy marn i

Je pense que/Je crois que – Rwy'n meddwl/credu bod

Je trouve que – Mae'n ymddangos i mi bod

Il semble que – Mae'n ymddangos bod

Atebwch y cwestiynau hyn yn Ffrangeg.

- Décris cette photo. (Sylfaenol)/Qu'est-ce qui se passe sur cette photo ? (Uwch)
  Disgrifia'r llun./Beth sy'n digwydd yn y llun?
- Est-ce qu'il est important de gagner de l'argent ? Pourquoi (pas) ? A yw hi'n bwysig
  ennill arian? Pam (ddim)?
- Les jeunes ont besoin d'avoir de l'expérience du monde du travail. Qu'en penses-tu ?
  Mae angen profiad o fyd gwaith ar bobl ifanc. Beth yw dy farn di?
- Est-ce que tu aimerais un petit boulot ? Pourquoi (pas) ? Hoffet ti gael swydd fach ran
  amser? Pam (ddim)?

Ymadroddion defnyddiol ar gyfer disgrifio llun:

sur l'image – yn y llun

je vois – rwy'n gweld

il y a – mae (yna)

on peut voir – gallwch chi weld

ça montre – mae'n dangos

à l'arrière-plan – yn y cefndir

au premier plan – yn y tu blaen

SGILIAU A RHINWEDDAU PERSONOL

Quelles sont tes qualités personnelles ?
Beth yw dy rinweddau personol?

Je suis tout le temps souriant(e) et accueillant(e), et je sais mettre les gens à l'aise. Je me considère extraverti(e) puisque je j'exprime facilement mes opinions devant les autres.
Rydw i bob amser yn siriol ac yn groesawgar, ac rwy'n gwybod sut i wneud i bobl deimlo'n gartrefol. Rwy'n fy ystyried fy hun yn allblyg gan fy mod i'n mynegi fy marn o flaen pobl eraill yn hawdd.

Quelles sont tes compétences pour le monde du travail ?
Pa sgiliau sydd gen ti ar gyfer byd gwaith?

À mon avis, je travaille bien en équipe parce que je m'entends bien avec tout le monde. Par ailleurs, je peux être un leader quand la situation l'exige.
Yn fy marn i, rwy'n gweithio'n dda mewn tîm gan fy mod i'n cyd-dynnu'n dda â phawb. Yn ogystal, gallaf fod yn arweinydd pan fydd y sefyllfa'n ei fynnu.

Quelles sont les compétences nécessaires pour trouver un bon travail ?
Pa sgiliau sydd eu hangen i gael swydd dda?

Si on veut trouver un bon emploi, il vaut mieux parler une langue étrangère.
Pour réussir de nos jours, il faut avoir l'esprit d'initiative et prendre des risques.
Os ydych chi eisiau dod o hyd i swydd dda, mae'n well siarad iaith dramor. I lwyddo y dyddiau hyn, mae angen i chi ddangos blaengaredd a chymryd risgiau.

Comment serait ton/ta patron(ne) idéal(e) ?
Sut un fyddai dy fòs delfrydol?

Mon/ma patron(ne) idéal(e) créerait un esprit d'équipe et un milieu de travail positif. Il/elle serait ouvert(e) au changement et il/elle écouterait les idées de ses employés.
Byddai fy mòs delfrydol yn creu ysbryd tîm a gweithle cadarnhaol. Byddai ef/hi yn agored i newid a byddai ef neu hi yn gwrando ar syniadau'r gweithwyr.

Décris ta plus grande réussite au collège.
Disgrifia dy lwyddiant mwyaf yn yr ysgol.

Ma plus grande fierté au collège c'était quand j'ai réussi tous mes examens l'année dernière. J'ai reçu de très bonnes notes.
Y moment yn yr ysgol rwy'n ymfalchïo ynddo oedd pan basiais i fy arholiadau i gyd y llynedd. Ces i raddau arbennig o dda.

Pan fyddwch chi'n siarad am eich sgiliau a'ch rhinweddau personol, yn aml bydd angen i chi roi enghreifftiau i ddarlunio'r pwyntiau rydych chi'n eu gwneud.

Dyma rai ymadroddion defnyddiol yn Ffrangeg:

par exemple – er enghraifft
comme – fel
tel(s)/telle(s) que – fel, megis
quant à – ynghylch, o ran
en ce qui concerne... – cyn belled ag y mae ... dan sylw
prenons... comme exemple – beth am gymryd … fel enghraifft
il est évident que – mae'n amlwg bod

TASG ARHOLIAD

Parwch 1–10 ag a–g.

1. travailler régulièrement
2. communiquer avec les autres
3. inventer et créer
4. aider les autres
5. être en bonne santé
6. travailler manuellement
7. travailler dehors
8. être responsable
9. utiliser la technologie
10. parler des langues étrangères

a. bod mewn iechyd da
b. defnyddio technoleg
c. gweithio'n rheolaidd
ch. gweithio â'ch dwylo
d. bod yn gyfrifol
dd. siarad ieithoedd tramor
e. gweithio y tu allan
f. dyfeisio a chreu
ff. cyfathrebu ag eraill
g. helpu eraill

SGILIAU A RHINWEDDAU PERSONOL

Je m'adapte facilement aux nouvelles situations.	Rwy'n addasu'n dda i sefyllfaoedd newydd.
J'ai d'excellentes aptitudes à la communication.	Mae gen i sgiliau cyfathrebu gwych.
J'ai suivi une bonne formation, mais je suis toujours disposé(e) à apprendre.	Rydw i wedi cael hyfforddiant da ond rydw i bob amser yn barod i ddysgu.
Je n'ai pas peur de poser des questions si je ne comprends pas quelque chose.	Dydw i ddim yn ofni gofyn cwestiynau os nad ydw i'n deall rhywbeth.
Je suis très organisé(e) et je gère bien le stress.	Rwy'n drefnus iawn ac rwy'n rheoli straen yn dda.
J'ai besoin d'améliorer mes connaissances techniques.	Mae angen i mi wella fy ngwybodaeth dechnegol.
J'aimerais perfectionner mes compétences linguistiques.	Hoffwn i berffeithio fy sgiliau iaith.
Je sais lire entre les lignes et identifier les problèmes.	Rwy'n gallu darllen rhwng y llinellau ac rwy'n gallu adnabod problemau.
J'accepte toujours les critiques constructives.	Rydw i bob amser yn derbyn beirniadaeth adeiladol.
Mes qualités personnelles me permettront de répondre aux défis du monde du travail.	Bydd fy rhinweddau personol yn fy ngalluogi i ymateb i heriau byd gwaith.
J'ai déjà appris des compétences professionnelles grâce à mes études de commerce au collège.	Rydw i eisoes wedi dysgu sgiliau proffesiynol diolch i fy astudiaethau busnes yn yr ysgol.
Tout travailleur doit démontrer sa capacité à apprendre et à évoluer.	Mae'n rhaid i bob gweithiwr ddangos ei allu i ddysgu a datblygu.
Dans notre environnement globalisé, il faut que les gens soient ouverts au changement.	Yn ein hamgylchedd byd-eang, mae'n rhaid i bobl fod yn agored i newid.
Avec la technologie en constante évolution, il faut être capable de s'adapter rapidement à des situations variées.	Gyda thechnoleg yn datblygu'n gyson, mae'n rhaid i chi allu addasu'n gyflym i sefyllfaoedd gwahanol.
Il faut savoir écouter et accepter les idées des autres.	Mae angen i chi wybod sut i wrando a derbyn syniadau pobl eraill.
Je peux exécuter plusieurs tâches à la fois.	Rwy'n gallu gwneud sawl tasg yr un pryd.
J'ai toujours été très motivé(e).	Rydw i wedi bod â chymhelliad uchel erioed.
Quand j'étais petit(e), je n'étais pas une personne ambitieuse.	Pan oeddwn i'n iau, doeddwn i ddim yn berson uchelgeisiol.

Bydd angen i chi ddefnyddio iaith addas i bwysleisio pwynt rydych chi'n ei wneud.

Dyma rai ymadroddion defnyddiol yn Ffrangeg:

par-dessus tout – yn bennaf oll

surtout – yn enwedig

particulièrement – yn arbennig

en particulier – yn benodol

en effet – yn wir

d'ailleurs – ar ben hynny

en fait – mewn gwirionedd

TASG ARHOLIAD

Ysgrifennwch un frawddeg lawn yn Ffrangeg ar gyfer pob swydd.

- meddyg
- athro/athrawes
- peilot
- swyddog yr heddlu
- ysgrifennydd
- technegydd TG

Edrychwch ar y dasg arholiad ar dudalen 95. Ceisiwch ddefnyddio peth o'r eirfa i'ch helpu yma.

Est-ce que tu veux continuer tes études l'année prochaine ?
Wyt ti eisiau parhau i astudio y flwyddyn nesaf?

À mon avis, la vie scolaire est stressante mais j'ai l'intention de trouver un bon travail à l'avenir, donc je continuerai mes études l'année prochaine. Je vais étudier l'anglais, l'histoire et le français.
Yn fy marn i, mae bywyd ysgol yn achosi straen, ond rwy'n bwriadu dod o hyd i swydd dda yn y dyfodol, felly byddaf i'n parhau â'm hastudiaethau y flwyddyn nesaf. Rwy'n mynd i astudio Saesneg, Hanes a Ffrangeg.

Aimerais-tu aller à l'université ? Pourquoi (pas) ?
Hoffet ti fynd i'r brifysgol? Pam (ddim)?

Quand j'étais petit(e), c'était mon rêve d'aller à l'université pour devenir avocat(e), mais maintenant j'ai changé d'avis. Je pense que la formation serait trop longue et ennuyeuse et couterait trop cher.
Pan oeddwn i'n iau, fy mreuddwyd oedd mynd i'r brifysgol i fod yn gyfreithiwr, ond nawr rydw i wedi newid fy meddwl. Rwy'n meddwl y byddai'r hyfforddiant yn rhy hir a diflas a byddai'n rhy ddrud.

Est-ce qu'il est essentiel pour les jeunes d'aller à l'université ?
A yw hi'n hanfodol bod pobl ifanc yn mynd i'r brifysgol?

Bien sûr, les diplômes peuvent nous aider dans le monde du travail, mais ils ne sont pas le seul moyen de réussir. Pour avoir du succès dans la vie, il faut plutôt être travailleur et ambitieux.
Wrth gwrs, gall graddau ein helpu ym myd gwaith, ond nid nhw yw'r unig ffordd o lwyddo. I lwyddo mewn bywyd, mae angen i chi fod yn weithgar ac yn uchelgeisiol.

Quels sont les avantages d'une année sabbatique ?
Beth yw manteision blwyddyn allan?

Je pense qu'une année sabbatique est un moyen formidable d'enrichir sa vie. Par exemple, on pourrait apprendre une nouvelle langue ou voyager et explorer le monde.
Rwy'n meddwl bod blwyddyn allan yn ffordd anhygoel o gyfoethogi eich bywyd. Er enghraifft, gallech chi ddysgu iaith newydd neu deithio a gweld y byd.

La vie étudiante coute-t-elle trop cher ? Pourquoi (pas) ?

A yw bywyd myfyriwr yn rhy ddrud? Pam (ddim)?

Il est vrai que faire des études coûte de plus en plus cher, et je ne sais pas si ça vaut vraiment la peine. Mes parents souhaitent que je fasse des études supérieures mais je préfèrerais trouver un bon travail.

Mae'n wir bod astudio yn fwy ac yn fwy drud, a dydw i ddim yn gwybod a yw'n werth y drafferth. Mae fy rhieni am i mi symud ymlaen i addysg uwch ond byddai'n well gen i gael swydd dda.

Yn yr uned hon, efallai y bydd angen i chi ddeall a defnyddio iaith berswâd a byddwch chi eisiau gofyn cwestiynau hefyd.

Dyma rai ymadroddion defnyddiol yn Ffrangeg:

Mynegi gobaith

J'espère que... – Rwy'n gobeithio bod …

Je l'espère bien – Rwy'n gobeithio'n fawr

Gofyn am/rhoi gwybodaeth

Pourriez-vous me dire... ? – Allech chi ddweud wrtha i …?

Y a-t-il... ? – Oes (yna) …?

À quelle heure... ? – Am faint o'r gloch …?

Mynegi bwriad

Je vais + **berfenw** – Rwy'n mynd i …

J'ai l'intention de... – Rwy'n bwriadu…

Mynegi diddordeb

Je m'intéresse beaucoup à... – Mae diddordeb mawr gen i yn/mewn …

Je me passionne pour... – Rwy'n frwd dros…

 G ARHOLIAD

Cyfieithwch y brawddegau canlynol i'r Gymraeg:

1. Je ne sais pas exactement ce que je vais étudier l'année prochaine.
2. À mon avis, les sciences et les langues sont vraiment importantes dans la vie.
3. La chimie et les maths sont des matières qui vont assez bien ensemble.
4. Malheureusement, il va falloir que je travaille très dur.
5. Si j'ai de bonnes notes, je continuerai mes études de commerce.

Cadwch olwg am gryfhawyr – e.e. **exactement** (yn union), **vraiment** (yn wir), **très** (iawn), **assez** (eithaf) – a gwnewch yn siŵr eich bod yn eu cyfieithu.

ASTUDIAETH ÔL-16

YMADRODDION
DEFNYDDIOL

Pour moi, le choix de poursuivre mon éducation n'était pas difficile.	I mi, doedd y penderfyniad i barhau â'm haddysg ddim yn anodd.
Pour la grande majorité des jeunes, les études coûtent trop cher.	I'r mwyafrif helaeth o bobl ifanc, mae astudio yn rhy ddrud.
Je préférerais quitter le collège pour devenir entrepreneur/se.	Byddai'n well gen i adael yr ysgol a mynd yn entrepreneur.
Mes parents sont convaincus que l'enseignement supérieur augmente les chances de réussite.	Mae fy rhieni wedi'u hargyhoeddi bod addysg uwch yn gwella eich cyfle i lwyddo.
Peut-être que j'irai étudier à l'étranger.	Efallai yr af i i astudio dramor.
Je vais quitter le collège et travailler pour gagner un peu d'argent.	Rwy'n mynd i adael yr ysgol a gweithio i ennill ychydig o arian.
Je voudrais prendre une année sabbatique.	Hoffwn i gymryd blwyddyn allan.
Je ne veux pas me lancer tout de suite dans le monde du travail.	Dydw i ddim eisiau fy nhaflu fy hun i fyd gwaith yn syth.
Je voudrais continuer mes études, mais je ne sais pas où.	Hoffwn i barhau â'm hastudiaethau, ond dydw i ddim yn gwybod ble.
On nous dit qu'avoir un diplôme est essentiel pour survivre dans l'économie actuelle.	Maen nhw'n dweud wrthyn ni fod cael gradd yn hanfodol i oroesi yn yr economi sydd ohoni.
Il faut avouer qu'il y a des milliers de gens qui gagnent bien leur vie sans être diplômés.	Mae'n rhaid i chi gyfaddef bod miloedd o bobl yn ennill bywoliaeth dda heb fod â gradd.
Cependant, il n'est pas toujours nécessaire de poursuivre des études pour trouver un emploi.	Fodd bynnag, does dim angen parhau â'ch astudiaethau bob amser i ddod o hyd i swydd.
Le coût d'un diplôme est devenu un argument contre l'enseignement supérieur.	Mae cost gradd wedi dod yn ddadl yn erbyn addysg uwch.
Beaucoup de professions n'ont pas besoin d'un diplôme.	Does dim angen gradd ar lawer o swyddi.
Je voudrais passer mes examens et réussir dans la vie.	Hoffwn i sefyll fy arholiadau a llwyddo mewn bywyd.
Je n'ai pas l'intention de rester au lycée et j'espère faire une formation professionnelle.	Dydw i ddim yn bwriadu aros yn y chweched dosbarth ac rwy'n gobeithio gwneud cwrs hyfforddi proffesiynol.
J'espère réussir à mes examens.	Rwy'n gobeithio llwyddo yn fy arholiadau.
Si je ne réussis pas à mes examens, je ferai un apprentissage.	Os nad ydw i'n pasio fy arholiadau, byddaf i'n gwneud prentisiaeth.

Yn yr arholiad siarad, peidiwch â phoeni os nad ydych chi'n deall y cwestiwn i ddechrau. Fyddwch chi ddim yn colli marciau os ydych chi'n gofyn i'r athro/athrawes ailadrodd beth ddywedon nhw.

Dyma rai ymadroddion defnyddiol yn Ffrangeg:

- Je n'ai pas compris. Wnes i ddim deall.
- Je ne comprends pas. Dydw i ddim yn deall.
- Peux-tu répéter s'il te plaît ? Alli di ailadrodd, os gweli'n dda? (anffurfiol)
- Pouvez-vous répéter s'il vous plaît ? Allwch chi ailadrodd, os gwelwch yn dda? (ffurfiol)
- Qu'est-ce que ça veut dire ? Beth yw ystyr hynny?
- Pardon ? Mae'n ddrwg gen i?
- Je suis désolé(e). Mae'n ddrwg gen i.
- Pardon, qu'est-ce que tu as dit ? Mae'n ddrwg gen i, beth ddywedaist ti? (anffurfiol)
- Pardon, qu'est-ce que vous avez dit ? Mae'n ddrwg gen i, beth ddywedoch chi? (ffurfiol)

Dyma rai enghreifftiau o gwestiynau sgwrs:

TASG ARHOLIAD

- Est-ce que tu veux continuer tes études l'année prochaine ? Pourquoi (pas) ? Wyt ti eisiau parhau i astudio y flwyddyn nesaf? Pam (ddim)?
- Que veux-tu faire comme travail plus tard dans la vie ? Beth rwyt ti eisiau ei wneud fel gwaith yn hwyrach yn dy fywyd?
- Est-ce que tu veux aller à l'université ? Pourquoi (pas) ? Wyt ti eisiau mynd i'r brifysgol? Pam (ddim)?
- Pourquoi as-tu choisi ces matières ? Pam dewisaist ti y pynciau hyn?
- Les écoles préparent les jeunes pour le travail. Qu'en penses-tu ? Mae'r ysgol yn paratoi pobl ifanc ar gyfer gwaith. Beth yw dy farn di?
- Quelles sont tes compétences pour le travail ? Pa sgiliau sydd gen ti ar gyfer y gweithle?

Que veux-tu faire plus tard dans la vie ?
Beth rwyt ti am ei wneud yn hwyrach yn dy fywyd?

Si je réussis à mes examens, j'ai l'intention d'aller à l'université. Après mes études j'aimerais trouver un travail intéressant et je veux gagner beaucoup d'argent !
Os llwyddaf i yn fy arholiadau, rwy'n bwriadu mynd i'r brifysgol. Ar ôl fy astudiaethau, hoffwn i ddod o hyd i swydd ddiddorol ac rydw i eisiau ennill llawer o arian!

Est-ce qu'il est difficile pour les jeunes de trouver un bon emploi ? Pourquoi (pas) ?
A yw hi'n anodd i bobl ifanc ddod o hyd i swydd dda? Pam (ddim)?

Je ne sais pas pourquoi il est si difficile de trouver un emploi actuellement. Il y a beaucoup de chômage et j'imagine qu'il n'y a pas assez d'emplois pour les jeunes.
Dydw i ddim yn gwybod pam mae mor anodd cael swydd ar hyn o bryd. Mae llawer o ddiweithdra ac rwy'n tybio nad oes digon o swyddi i bobl ifanc.

Aimerais-tu travailler à l'étranger ? Pourquoi (pas) ?
Hoffet ti weithio dramor? Pam (ddim)?

Selon moi, travailler à l'étranger est une bonne idée parce qu'on peut développer de nouvelles compétences. Personnellement, j'aimerais travailler aux États-Unis parce qu'il y a de nombreuses opportunités là-bas.
Yn fy marn i, mae gweithio dramor yn syniad da oherwydd gallwch chi ddatblygu sgiliau newydd. Yn bersonol, hoffwn i weithio yn yr Unol Daleithiau achos mae llawer o gyfleoedd yno.

Que feras-tu dans dix ans ?
Beth byddi di'n ei wneud mewn deng mlynedd?

J'espère que dans dix ans je serai content(e) et riche ! J'aurai fini mes études et je ferai un travail très bien payé et satisfaisant. J'habiterai dans une grande maison avec une piscine et j'aimerais me marier et avoir des enfants aussi.
Rwy'n gobeithio, mewn deng mlynedd, y byddaf i'n hapus ac yn gyfoethog! Byddaf i wedi gorffen astudio a bydd gen i i swydd sy'n talu'n dda iawn ac yn rhoi boddhad. Byddaf i'n byw mewn tŷ mawr â phwll nofio a hoffwn i briodi a chael plant hefyd.

Que voulais-tu faire quand tu étais petit(e) ?
Beth roeddet ti eisiau ei wneud pan oeddet ti'n iau?

Quand j'étais plus jeune, je rêvais d'être chanteur/chanteuse parce que je voulais être célèbre. Maintenant je n'ai aucune envie d'être célèbre – ça ne m'intéresse pas du tout !
Pan oeddwn i'n iau, roeddwn i'n breuddwydio am fod yn ganwr/gantores oherwydd roeddwn i eisiau bod yn enwog. Nawr does gen i ddim awydd bod yn enwog – nid yw o ddiddordeb i mi o gwbl!

Dyma rai ymadroddion defnyddiol wrth drafod eich dyfodol:

après avoir/être + **rhangymeriad gorffennol** – ar ôl gwneud rhywbeth

avant de + **berfenw** – cyn gwneud rhywbeth

tout d'abord – yn gyntaf oll

premièrement – yn gyntaf

deuxièmement – yn ail

plus tard – yn ddiweddarach, yn hwyrach

pendant que – tra

RAMADEG

Cynlluniau ar gyfer y dyfodol

Ysgrifennwch baragraff am eich cynlluniau ar gyfer y dyfodol. Defnyddiwch yr holl ymadroddion amser ar y chwith i roi eich paragraff yn nhrefn amser a defnyddiwch yr holl strwythurau ar y dde o leiaf unwaith yr un. Gallwch chi eu defnyddio nhw mewn unrhyw drefn. Peidiwch ag anghofio cynnwys yr amser dyfodol yn eich paragraff hefyd.

à l'avenir...	vouloir + **berfenw**
après mes examens...	espérer + **berfenw**
dans dix ans...	avoir l'intention de +
premièrement...	**berfenw**
plus tard...	aller + **berfenw**

Atebwch y cwestiynau

Annie : L'année prochaine, j'étudierai quatre matières. Je sais que je vais poursuivre[1] mes études en biologie et en chimie, mais pour les autres je n'ai pas encore décidé.

Germaine : Si j'obtiens de bonnes notes, j'irai à l'université. Je vais prendre une année sabbatique[2] avant d'aller à l'université.

Hervé : Les voyages me passionnent et j'ai de la chance[3] parce que l'année prochaine j'irai rendre visite à ma famille en Thaïlande avant de travailler comme cuisinier.

Régis : À l'avenir je vais continuer d'étudier les langues à l'université. Je voudrais étudier l'espagnol et l'italien.

Thierry : Je voudrais aller à l'université de Lyon, mais cela dépendra[4] de mes résultats.

Paul : Je chercherai un travail bien payé, car à mon avis le salaire est très important.

1 parhau
2 blwyddyn allan
3 rwy'n lwcus
4 bydd hynny'n dibynnu

Pwy ...

1. fydd yn cymryd blwyddyn allan?
2. fydd yn gweithio fel cogydd?
3. sydd eisiau astudio ieithoedd?
4. fydd yn astudio mwy na thri phwnc?
5. sy'n meddwl bod arian yn bwysig?
6. sy'n bwriadu teithio?

CYNLLUNIAU GYRFA

YMADRODDION
DEFNYDDIOL

Quand je finis mes études, je chercherai un bon emploi avec un salaire élevé.

Pan fyddaf i'n gorffen astudio, byddaf i'n chwilio am swydd dda â chyflog uchel.

Je préfèrerais travailler à mon compte et gagner beaucoup d'argent.

Byddai'n well gen i weithio i fi fy hun ac ennill llawer o arian.

Je voudrais obtenir un bon diplôme et je rêve d'être avocat(e).

Rydw i eisiau cael cymwysterau da ac rwy'n breuddwydio am fod yn gyfreithiwr.

Je vais économiser pour acheter une maison.

Rwy'n mynd i gynilo i brynu tŷ.

J'ai toujours rêvé d'être professeur parce que le travail m'inspire.

Rydw i bob amser wedi breuddwydio am fod yn athro/athrawes gan fod y gwaith yn fy ysbrydoli.

J'espère trouver un emploi près/loin de chez moi.

Rwy'n gobeithio dod o hyd i swydd yn agos i/ymhell o lle rwy'n byw.

Il faut admettre que je n'ai aucune idée de ce que je voudrais faire.

Rhaid i mi gyfaddef nad oes gen i unrhyw syniad am beth hoffwn i ei wneud.

Je n'ai pas encore décidé quelle carrière je veux faire plus tard dans la vie.

Dydw i ddim wedi penderfynu eto pa yrfa rydw i am ei dilyn yn hwyrach mewn bywyd.

Comme tout le monde, je ne veux pas être au chômage.

Fel pawb, dydw i ddim eisiau bod yn ddi-waith.

Je ne veux pas avoir un travail monotone.

Dydw i ddim eisiau cael swydd undonog.

Je veux poursuivre une carrière passionnante.

Rydw i am ddilyn gyrfa gyffrous.

Après mes études, je voudrais habiter en Australie.

Ar ôl fy astudiaethau, hoffwn i fyw yn Awstralia.

J'espère travailler à l'étranger pour améliorer mes compétences linguistiques.

Rwy'n gobeithio gweithio dramor i wella fy sgiliau iaith.

Un jour je voudrais faire le tour du monde.

Rhyw ddydd, hoffwn i deithio'r byd.

Quand j'avais dix ans, je rêvais de devenir astronaute.

Pan oeddwn i'n ddeg oed, roeddwn i'n breuddwydio am fod yn ofodwr.

Mae'n bosibl y bydd angen i chi ddarllen neu ysgrifennu llythyr cais ar gyfer yr uned hon. Dyma rai ymadroddion defnyddiol:

- Ayant lu votre annonce dans le journal au sujet du poste de… – Wedi gweld eich hysbyseb papur newydd am swydd…
- J'ai déjà eu des expériences de… – Rydw i eisoes wedi cael profiad o…
- Je voudrais travailler parce que… – Hoffwn i weithio oherwydd…
- Je m'intéresse surtout à ce poste. – Mae gen i ddiddordeb arbennig yn y swydd hon.
- Vous trouverez ci-joint mon CV. – Fe welwch chi fy CV wedi'i atodi.

Os gallwch chi ddefnyddio'r ymadroddion hyn yn yr arholiad, byddan nhw'n tynnu sylw at eich gallu i ddefnyddio amserau gwahanol.

TASG ARHOLIAD

Cyfieithwch y brawddegau canlynol i'r Ffrangeg:

Hoffet ti weithio dramor?

Hoffwn, efallai y treuliaf i flwyddyn yn Ffrainc fel ysgrifennydd mewn swyddfa. Dydw i ddim eisiau bod yn dechnegydd TG ond rwy'n hoffi gweithio gyda chyfrifiaduron. Mae gwir angen i mi wella fy sgiliau iaith. Y llynedd es i i Sbaen a wnes i ddim deall dim!

GRAMADEG

TERMAU GRAMADEG

Mae'n bwysig deall ystyr y termau hyn oherwydd byddan nhw'n cael eu defnyddio'n rheolaidd yn ystod eich cwrs TGAU.

Adferfau: Mae adferfau'n disgrifio berfau (ac weithiau ansoddeiriau ac adferfau eraill). Maen nhw'n ateb y cwestiynau: sut, pryd, ble – e.e. **régulièrement** (yn rheolaidd).

Amser: Newid yn y ferf i ddisgrifio gweithredoedd sy'n digwydd yn y gorffennol, y presennol, y dyfodol neu'r amodol.

Ansoddeiriau: Disgrifio enwau mae ansoddeiriau. Maen nhw'n ateb y cwestiynau: pa, pa fath o, faint o – e.e. **grand** (mawr), **petit** (bach), **intéressant** (diddorol).

Ansoddeiriau dangosol: Dangos neu gyfeirio at rywbeth y mae'r geiriau hyn – e.e. **ce, cette, ces** (hwn, hon, hyn).

Arddodiaid: Mae'r rhain yn eiriau sy'n helpu i ddisgrifio lleoliad rhywbeth neu'n rhoi gwybodaeth ychwanegol – e.e. **dans** (yn), **sur** (ar).

Berfau: Geiriau gweithredu yw'r rhain sy'n gwneud rhywbeth mewn brawddeg.

Berfau afreolaidd: Berfau sydd ddim yn dilyn patrymau rheolaidd ac sydd â ffurfiau gwahanol. Fel arfer mae'n rhaid dysgu'r rhain ar eich cof – e.e. **aller** (mynd).

Berfau atblygol: Mae gweithred berfau atblygol yn cael ei gwneud i oddrych y frawddeg (y person sy'n gwneud y weithred) – e.e. **se laver** (ymolchi).

Berfenw: Dyma ffurf y ferf rydych chi'n ei gweld yn y geiriadur. Yn Ffrangeg, mae'n gorffen yn **-er**, **-ir** neu **-re**.

Cenedl: Mae cenedl yn nodi a yw enw yn wrywaidd neu'n fenywaidd.

Cyfystyron: Geiriau sydd â'r un ystyr.

Cysylltair: Gair neu ymadrodd sy'n cysylltu dau syniad neu rannau o frawddeg – e.e. **parce que** (oherwydd).

Enwau: Geiriau sy'n enwi person, lle, peth neu syniad.

Ffurfiau gorchmynnol: Ffurfiau berfol sy'n cael eu defnyddio wrth roi cyfarwyddiadau neu orchmynion – e.e. **donnez** !

Goddrych: Y person neu'r peth yn y frawddeg sy'n gwneud y weithred.

Gradd eithaf: Yr eithaf yw'r *mwyaf* o rywbeth – e.e. **le mieux** (y gorau), **le pire** (y gwaethaf), **le plus grand** (y mwyaf).

Gradd gymharol: Mae hon yn ffurf ar ansoddair neu adferf. Mae'n cael ei defnyddio wrth gymharu dau beth – e.e. **meilleur** (gwell).

Gwrthrych: Y gwrthrych yw'r gair/ymadrodd mewn brawddeg y mae'r weithred yn digwydd iddo.

Lluosog: Mwy nag un eitem.

Rhagenwau: Mae rhagenwau yn cael eu defnyddio yn lle enwau mewn brawddeg.

Rhagenwau meddiannol: Geiriau sy'n awgrymu perchenogaeth yw'r rhain – e.e. **ma maison** (fy nhŷ).

Unigol: Yn cyfeirio at un eitem yn unig (yn hytrach na'r lluosog am fwy nag un eitem).

Y fannod: Y fannod bendant – **le/la/l'/les** (y, yr, 'r) – a'r fannod amhendant – **un/une/des** (*a/an* yn Saesneg).

Peidiwch ag ofni pan welwch chi'r rhestr ramadeg ganlynol! Rhestr yw hon o **bob** pwynt gramadeg a allai ymddangos yn TGAU. Ni fydd angen i chi ddefnyddio'r pwyntiau gramadeg hyn i gyd eich hun, ond bydd hi'n help os gallwch chi adnabod gwahanol nodweddion ieithyddol. Mae'r adran gyfeirio hon yn golygu y gallwch chi chwilio am unrhyw dermau gramadeg sy'n eich drysu. Hefyd, mae ymarferion gramadeg drwy'r llyfr i chi gael ymarfer yr hyn rydych chi'n ei wybod. Bydd y tablau berfau ar ddiwedd yr adran hon yn ddefnyddiol wrth i chi adolygu ar gyfer eich arholiadau siarad ac ysgrifennu.

ENWAU

GWRYWAIDD A BENYWAIDD

Mae enwau yn eiriau sy'n enwi pethau, pobl a syniadau. Yn Ffrangeg, mae pob enw naill ai'n wrywaidd neu'n fenywaidd – e.e. le livre (y llyfr), la table (y bwrdd).

LLUOSOG

I wneud enwau yn lluosog, fel arfer rydych chi'n:

- Ychwanegu -s at enwau sy'n gorffen mewn llafariad – e.e. livre → livre**s**
- Newid y terfyniad -al i -aux – e.e. animal → anim**aux**
- Newid y terfyniad -ou i -oux – e.e. bijou → bij**oux**
- Newid y terfyniad -eau i -eaux – e.e. chapeau → chap**eaux**
- Newid y terfyniad -eu i -eux – e.e. feu → fe**ux**

Mae rhai ffurfiau lluosog sydd ddim yn dilyn y rheol hon: – e.e.:

    l'œil → les yeux
    le nez → les nez
    l'os → les os
    le prix → les prix
    le temps → les temps

FFURFIAU'R FANNOD

FFURFIAU'R FANNOD BENDANT (LE/LA/L'/LES)

Yn Ffrangeg, mae'r gair am y/yr/'r yn newid yn ôl a yw'r enw sy'n mynd gydag ef yn wrywaidd, yn fenywaidd neu'n lluosog – e.e. le garçon → les garçons, la maison → les maisons.

Mae'r fannod bendant (le, la, l', les (y)) yn cael ei defnyddio'n amlach yn Ffrangeg nag yn Gymraeg – e.e. Je déteste le poulet. (Rwy'n casáu cyw iâr.)

Wrth ddefnyddio'r arddodiad à, y ffurfiau yw: au/à la/à l'/aux, yn dibynnu ar genedl yr enw – e.e. **à la** gare (yn yr orsaf drenau), **au** cinéma (yn y sinema).

Wrth ddefnyddio'r arddodiad de, y ffurfiau yw: du/de la/de l'/des – e.e. **des** baguettes.

FFURFIAU'R FANNOD AMHENDANT (UN/UNE/DES)

Mae'r fannod amherffaith (un/une/des) yn cael ei gadael allan wrth sôn am swyddi pobl – e.e. Mon père est technicien. (Mae fy nhad yn dechnegydd)

ANSODDEIRIAU

GWNEUD I ANSODDEIRIAU GYTUNO Â'R ENW

Yn Ffrangeg, mae gan bob ansoddair (gair sy'n disgrifio pobl, lleoedd a phethau) derfyniadau gwahanol yn ôl cenedl y gair – a yw'n wrywaidd, yn fenywaidd neu'n lluosog. Mewn geiriau eraill, mae'n rhaid i ansoddeiriau bob amser *gytuno* â'r enw – e.e. joli/jolie/jolis/jolies.

Fel arfer rydych chi'n troi ansoddair yn fenywaidd drwy ychwanegu -e. Os yw'r gair yn gorffen gydag 'e' yn barod, nid yw'n newid – e.e. jeune.

Mae gan sawl ansoddair ffurf fenywaidd afreolaidd. Dyma rai y gallech chi ddod ar eu traws (y ffurfiau unigol yw'r rhain):

Gwrywaidd	Benywaidd	Cymraeg
ancien	ancienne	hen, cyn-
bas	basse	isel
beau	belle	hardd
blanc	blanche	gwyn
bon	bonne	da
cher	chère	annwyl; drud
doux	douce	melys; mwyn
faux	fausse	anghywir
favori	favorite	hoff
fou	folle	ffôl, gwallgof
frais	fraîche	ffres, oer
gentil	gentille	caredig
gras	grasse	bras
gros	grosse	mawr, tew
jaloux	jalouse	cenfigennus
long	longue	hir
nouveau	nouvelle	newydd
premier	première	cyntaf
public	publique	cyhoeddus
sec	sèche	sych
vieux	vieille	hen

Mae rhai ansoddeiriau sy'n cael eu defnyddio o flaen enw unigol gwrywaidd sy'n dechrau gyda llafariad neu 'h' yn newid hefyd. Y rhai mwyaf cyffredin yw un **bel** homme (dyn golygus) ac un **nouvel** ordinateur (cyfrifiadur newydd).

I wneud ansoddair gwrywaidd neu fenywaidd yn lluosog, rydych chi'n ychwanegu -s at ddiwedd yr ansoddair - e.e. mes propr**es** vêtements (fy nillad fy hun).

Yn achos ansoddeiriau sy'n gorffen yn -au, rydych chi'n ychwanegu -x yn lle -s – e.e. nouveau → nouveaux. Mae'r rhan fwyaf o ansoddeiriau sy'n gorffen yn -al yn newid i -aux yn y lluosog – e.e. principal → princip**aux**.

SAFLE ANSODDEIRIAU

Mae'r rhan fwyaf o ansoddeiriau yn Ffrangeg yn mynd ar ôl yr enw maen nhw'n ei ddisgrifio – e.e. la voiture **blanche**, le garçon **intelligent**.

Mae'r ansoddeiriau canlynol yn mynd o flaen yr enw: beau, bon, excellent, gentil, grand, gros, jeune, joli, long, mauvais, même, meilleur, nouveau, petit, vieux, vilain.

Mae rhai ansoddeiriau'n newid eu hystyr yn ôl eu safle – o flaen neu ar ôl yr enw. Dyma'r rhai mwyaf cyffredin:

> un cher ami – ffrind annwyl
> un portable cher – ffôn symudol drud
> un ancien ami – cyn-ffrind
> un bâtiment ancien – hen adeilad
> ma propre chambre – fy ystafell wely innau
> ma chambre propre – fy ystafell wely lân

GRADDAU CYFARTAL, CYMHAROL AC EITHAF

Mae ansoddeiriau cyfartal yn cael eu defnyddio i ddweud bod dau beth yn gyfartal, e.e. mor swnllyd â, etc. Mae ansoddeiriau cymharol yn cael eu defnyddio i gymharu dau beth ac i ddweud bod un yn fwy, yn llai, yn well, etc. na'r llall. Mae ansoddeiriau eithaf yn cael eu defnyddio i gymharu dau beth ac i ddweud pa un yw'r gorau, y gwaethaf, y mwyaf, etc.

I ffurfio ffurfiau cyfartal, cymharol ac eithaf ansoddeiriau sy'n mynd o flaen yr enw, rydych chi'n defnyddio'r patrwm canlynol:

Cyfartal		Cymharol		Eithaf	
aussi	(mor)	plus	(mwy)	le/la/les plus	(y mwyaf)
aussi fort	(mor gryf)	plus fort	(yn gryfach)	le plus fort la plus forte les plus fort(e)s	(y cryfaf)
		moins	(llai)	le/la/les moins	(y lleiaf)
		moins fort	(llai cryf)	le moins fort la moins forte les moins fort(e)s	(y lleiaf cryf)

* Yn y tri achos hyn defnyddir que i wneud cymhariaeth – e.e.:

- Arnaud est plus fort **que** Philippe. Mae Arnaud yn gryfach na Philippe.
- Les lions sont aussi forts **que** les tigres. Mae llewod mor gryf â theigrod.

Dyma'r patrwm ar gyfer ansoddeiriau sy'n mynd ar ôl yr enw:

- Une émission plus amusante. Rhaglen fwy difyr/doniol. (gradd gymharol)
- L'émission la plus amusante. Y rhaglen fwyaf difyr/doniol. (gradd eithaf)

Sylwch fod l' a la yn cael eu hailadrodd yn y radd eithaf.
Mae'r un patrymau yn digwydd gydag adferfau.

- Elle court plus vite que moi. Mae hi'n rhedeg yn gynt na fi. (adferf cymharol)
- C'est elle qui court le plus vite. Hi yw'r un sy'n rhedeg gyflymaf. (adferf eithaf)

Dewiswch yr ansoddair cywir ac yna cyfieithwch bob brawddeg i'r Gymraeg.

1. Une voiture est plus **chère/chers/cher** qu'un vélo.
2. Les avions sont les plus **impressionnant/impressionnantes/impressionnants**.
3. Un livre est moins **intéressante/intéressant/intéressants** qu'une tablette.
4. Un taxi est aussi **grand/grande/grandes** qu'une voiture.

ANSODDEIRIAU DANGOSOL (HWN, HON, HYN, HWNNW, HONNO, HYNNY)

Gwrywaidd	Benywaidd	Lluosog
ce (cet o flaen 'h' neu lafariad)	cette	ces

Ce/cet/cette/ces yn Gymraeg yw 'y ... hwn/hon/hwnnw/honno/hynny' – e.e.:

ce livre – y llyfr hwn/hwnnw
cet hôtel – y gwesty hwn/hwnnw
cette chambre – yr ystafell hon/honno
ces élèves – y disgyblion hyn/hynny

ANSODDEIRIAU AMHENDANT

autre(s) – arall/eraill – e.e. Les autres élèves étudient l'anglais. J'ai une autre copine !
chaque – pob – e.e. chaque élève, chaque voiture
même – yr un – e.e. Il a vu le même match. Elle a la même jupe.
plusieurs – sawl, nifer o – e.e. J'ai plusieurs jeux vidéo.
quelque(s) – rhai, peth – e.e. Pendant quelque temps. Quelques élèves ont oublié les devoirs.
tel, telle, tels, telles – y fath – e.e. un tel garçon, de telles voitures
tout, toute, tous, toutes – i gyd – e.e. tous les garçons, toutes les matières

ANSODDEIRIAU MEDDIANNOL

Rydyn ni'n defnyddio ansoddeiriau meddiannol i fynegi perchenogaeth – e.e. fy, eich, ei. Mae'n rhaid i ansoddeiriau meddiannol gytuno â chenedl yr enw sy'n eu dilyn – ac *nid* y person sy'n 'berchen ar' yr enw – e.e. **mes parents** (fy rhieni), **tes amis** (dy ffrindiau), **notre professeur** (ein hathro).

	Gwrywaidd	Benywaidd	Lluosog
fy	mon	ma	mes
dy	ton	ta	tes
ei … ef/ei … hi	son	sa	ses
ein	notre	notre	nos
eich	votre	votre	vos
eu	leur	leur	leurs

GRAMADEG

Dewiswch y rhagenw meddiannol cywir i gytuno â phob enw.

1. **Mon/Ma/Mes** tante habite en France.
2. **Ton/Ta/Tes** portable est super.
3. Je m'entends bien avec **ma/mon/mes** père.
4. **Ma/Mon/Mes** parents aiment aller au cinéma.
5. **Nos/Notre/Mon** amis sont très importants.
6. Combien de temps passes-tu sur **tes/ta/ton** ordinateur ?

ADFERFAU

FFURFIO ADFERFAU

Rydych chi'n defnyddio adferfau fel arfer gyda berf i esbonio sut, pryd, ble neu i ba raddau mae rhywbeth yn digwydd. Mewn geiriau eraill, maen nhw'n disgrifio sut mae gweithred yn cael ei gwneud (yn gyflym, yn rheolaidd, yn wael, etc.) – e.e. Je joue rarement au tennis. (Rwy'n chwarae tennis yn anaml.)

Mae llawer o adferfau Ffrangeg yn cael eu ffurfio drwy ychwanegu -ment at ffurf fenywaidd yr ansoddair – e.e. heureuse → heureusement.

Yn Ffrangeg, mae adferfau yn mynd ar ôl y ferf fel arfer – e.e. Je vais **souvent** en ville. (Rwy'n mynd i'r dref yn aml).

ADFERFAU CYMHAROL AC EITHAF

Fel gydag ansoddeiriau, gallwch chi wneud cymariaethau gydag adferfau gan ddefnyddio plus que a moins que – e.e. J'arrive **moins rapidement** en train **qu'**en bus. (Rwy'n cyrraedd yn llai cyflym mewn trên nag mewn bws.) Nid oes fersiwn benywaidd neu wrywaidd.

Yn yr un modd, gallwch chi hefyd ddefnyddio adferfau eithaf – e.e. Aller au cinéma est l'activité que je fais la **plus régulièrement**. (Mynd i'r sinema yw'r gweithgaredd rwy'n ei wneud amlaf.)

ADFERFAU AMSER A LLE

Mae adferfau defnyddiol yn cynnwys:

Lle:

dedans – y tu mewn
dehors – y tu allan
ici – yma
là-bas – fan draw
loin – yn bell
partout – ym mhobman

Amser:

après-demain – y diwrnod ar ôl yfory/drennydd
avant-hier – y diwrnod cyn ddoe/echdoe
aujourd'hui – heddiw
déjà – yn barod
demain – yfory
hier – ddoe
le lendemain – y diwrnod canlynol/trannoeth

GRAMADEG

Dewiswch yr adferf cywir o'r rhestr i gwblhau pob brawddeg.

1. Le concert se trouve _____ du centre.
2. Tous les concerts ont lieu _____.
3. _____ je suis allé(e) à une boum.
4. J'ai _____ assisté à beaucoup de concerts.
5. Pendant le festival il y a des touristes _____.
6. _____ nous irons au marché.

déjà   après-demain   loin   hier   partout   dehors

MEINTIOLWYR A CHRYFHAWYR

Ceisiwch ychwanegu manylion at eich gwaith llafar ac ysgrifennu yn Ffrangeg drwy gynnwys meintiolwyr a chryfhawyr – e.e.:

> assez – digon
> beaucoup – llawer
> un peu – ychydig
> très – iawn
> trop – gormod

RHAGENWAU

RHAGENWAU PERSONOL

Mae'r geiriau 'fi, ti, ef, hi, ni, chi, nhw' yn rhagenwau personol. Mae'r rhain yn oddrych berfau.

Unigol	Lluosog
je	nous
tu	vous
il/elle/on	ils/elles

Mae 'on' yn rhagenw unigol ac fel arfer yn cael ei gyfieithu fel 'ni' neu 'chi' – e.e. **On va au concert.** (Rydyn ni'n mynd i'r gyngerdd.) **Qu'est-ce qu'on peut faire ?** (Beth gallwch chi ei wneud?)

Cofiwch fod ffyrdd gwahanol o ddweud 'ti/chi' yn Ffrangeg, fel yn Gymraeg. Defnyddiwch **tu** pan fyddwch chi'n siarad ag un person yn anffurfiol (e.e. ffrind ysgol, cyfaill neu aelod o'r teulu) a **vous** pan fyddwch chi'n siarad â mwy nag un person. Rydych chi hefyd yn defnyddio **vous** (chi) mewn sefyllfaoedd ffurfiol (e.e. cyfweliad swydd, siarad â'ch pennaeth, siarad â rhywun dydych chi ddim yn ei adnabod).

RHAGENWAU GWRTHRYCHOL

Mae dau fath o ragenw gwrthrychol: uniongyrchol ac anuniongyrchol.

Rhagenwau gwrthrychol uniongyrchol

Mae'r rhain yn cael eu defnyddio yn lle enw sydd ddim yn oddrych y ferf – gan ddefnyddio 'ef/hi' yn lle'r enw ei hun e.e.:

- **Je te le donne.** Rwy'n ei roi ef/hi i ti.
- **Il m'en a parlé.** Siaradodd â fi amdano ef.

Rhagenwau gwrthrychol anuniongyrchol

Yn Ffrangeg, rydyn ni weithiau eisiau dweud 'iddo ef/iddi hi/iddyn nhw'.

> iddo ef – lui
> iddi hi – lui
> iddyn nhw – leur

e.e.:

- Rhoddais i arian **iddo ef**. **Je lui** ai donné de l'argent.
- Mae hi'n rhoi arian **iddyn nhw**. **Elle leur** donne de l'argent.

Mae'r tabl isod yn dangos trefn arferol rhagenwau. Mae (1) a (2) yn rhagenwau uniongyrchol; mae (3), (4) a (5) yn rhagenwau anuniongyrchol.

1	2	3	4	5
me				
te	le			
se	la	lui		
nous	les	leur	y	en
vous				
se				

RHAGENWAU PERTHYNOL

Rydych chi'n defnyddio rhagenwau perthynol i gysylltu brawddegau â'i gilydd. Mae'r rhain yn cynnwys y canlynol:

> qui – sydd, a, na(d) (goddrych)
> que – y/yr (gwrthrych)
> dont – y/yr (*of which, of whom* yn Saesneg)

e.e.:

- Voici les enfants **qui** sont sages. Dyma'r plant sy'n dda.
- Voici les produits bio **que** vous cherchez. Dyma'r bwydydd organig yr ydych chi'n chwilio amdanyn nhw.

> ce qui – beth (goddrych)
> ce que – beth (gwrthrych)
> ce dont – y/yr

e.e.:

- Dis-moi **ce qui** est arrivé. Dwed wrtha i beth sydd wedi digwydd.
- Dis-moi **ce que** le médecin a dit. Dwed wrtha i beth ddywedodd y doctor.
- Dis-moi **ce dont** tu as besoin. Dwed wrtha i beth sydd ei angen arnat ti.

Mae'r rhagenwau perthynol canlynol yn cael eu defnyddio gydag arddodiaid:

> lequel (g.) – (y) … yr hwn
> laquelle (b.) – (y) … yr hon
> lesquels (g.ll.) – (y) … yr hyn
> lesquelles (b.ll.) – (y) … yr hyn

e.e.:

- Voici la table sur **laquelle** est ton portable. (yn llythrennol) Dyma'r bwrdd ar yr hwn mae dy ffôn symudol. Dyma'r bwrdd lle mae dy ffôn symudol.

Mae'n bosibl cyfuno'r rhagenwau uchod hefyd gydag **à** a **de** i olygu 'am hwn' ac 'o'r hwn':

auquel (g.)
à laquelle (b.)
auxquels (g.ll.)
auxquelles (b.ll.)
duquel (g.)
de laquelle (b.)
desquels (g.ll.)
desquelles (b.ll.)

e.e.:

- Ce sont des choses **auxquelles** je ne pense pas. Mae'r rhain yn bethau dydw i ddim yn meddwl amdanyn nhw.

Sylwch: Mae **penser** yn cael ei ddilyn gan **à** , felly mae'n mynd yn **auxquelles**.

RHAGENWAU MEDDIANNOL
Mae rhagenwau meddiannol yn cael eu defnyddio pan fyddwch chi eisiau dweud 'fy un i, dy un di, ei un ef, ei hun hi', etc. – e.e.:

- Est-ce que c'est mon portable ? Ai fy ffôn symudol i yw hwn?
- Non, **le tien** est à la maison. Nage, mae dy un di gartref.

Cymraeg	Gwrywaidd	Benywaidd	Lluosog gwrywaidd	Lluosog benywaidd
fy un i / fy rhai i	le mien	la mienne	les miens	les miennes
dy un di /dy rai di	le tien	la tienne	les tiens	les tiennes
ei un ef /ei rai ef	le sien	la sienne	les siens	les siennes
ei hun hi /ei rhai hi	le sien	la sienne	les siens	les siennes
ein hun ni / ein rhai ni	le nôtre	la nôtre	les nôtres	les nôtres
eich un chi / eich rhai chi	le vôtre	la vôtre	les vôtres	les vôtres
eu hun nhw / eu rhai nhw	le leur	la leur	les leurs	les leurs

RHAGENWAU DANGOSOL
Mae rhagenwau dangosol yn cael eu defnyddio yn lle enw i osgoi ailadrodd yr enw.

Maen nhw'n cael eu defnyddio yn Ffrangeg i olygu 'yr un, y rhai, hwn, hon, y rhain, hwnnw, honno, y rheini,' – e.e:

- Il prendra **celui-là**. Bydd yn cymryd hwnna.

Gwrywaidd	Benywaidd	Unigol/Lluosog	Cymraeg
celui	celle	unigol	yr un
ceux	celles	lluosog	y rhai
celui-ci	celle-ci	unigol	hwn, yr un yma; hon, yr un yma
ceux-ci	celles-ci	lluosog	y rhain, y rhai yma
celui-là	celle-là	unigol	hwnnw, hwnna; honno, honna
ceux-là	celles-là	lluosog	y rheini; y rheina

RHAGENWAU AMHENDANT

Mae'n bosibl y bydd angen i chi ddefnyddio'r rhagenwau amhendant canlynol wrth ysgrifennu neu siarad:

> quelqu'un – rhywun – e.e. Quelqu'un a laissé le robinet ouvert.
> quelque chose – rhywbeth – e.e. J'ai mangé quelque chose de nouveau.
> quelque part – rhywle – e.e. Quelque part dans le monde.
> tout le monde – pawb – e.e. Tout le monde doit recycler.
> personne ne – neb – e.e. Personne ne veut recycler.

RHAGENWAU PWYSLEISIOL

Yn Ffrangeg pan fyddwch chi eisiau dweud, er enghraifft, 'yn fy nhŷ i' neu 'gyda hi', ac rydych chi eisiau defnyddio chez neu avec, mae angen i chi ddefnyddio'r rhagenw pwysleisiol – e.e. chez moi (yn fy nhŷ i), avec elle (gyda hi). Edrychwch ar y tabl isod am restr o ragenwau pwysleisiol.

moi	mi, fi
toi	ti (unigol)
lui	ef
elle	hi
nous	ni
vous	chi (unigol cwrtais/lluosog)
eux	nhw (gwrywaidd)
elles	nhw (benywaidd)

ARDDODIAID

Mae arddodiaid yn eiriau cysylltu sydd fel arfer yn awgrymu cyfeiriad, lleoliad neu amser. Fel yn Gymraeg, yn Ffrangeg mae mwy nag un ffordd o gyfieithu arddodiad yn aml. Er enghraifft, gallwch chi gyfieithu 'yn' yn Ffrangeg drwy ddefnyddio en neu à.

ARDDODIAID CYFFREDIN

Cyn/o flaen/yn barod:

- avant (+ **amser**) – e.e. **avant** le dîner (cyn cinio)
- déjà (yn barod) – e.e. Je l'ai **déjà** vu. (Rydw i wedi'i weld (ef) yn barod)
- devant (safle) – e.e. **devant** l'ordinateur (o flaen y cyfrifiadur)

Yn/mewn:

- à – e.e. **à** Lyon (yn Lyon), **à** la mode (yn ffasiynol)
- dans – e.e. **dans** un magasin (mewn siop)
- en – e.e. **en** France (yn Ffrainc)

Ar:

- à – e.e. **à** gauche (ar y chwith)
- en – e.e. **en** vacances (ar wyliau)
- sur – e.e. **sur** les réseaux sociaux (ar y cyfryngau cymdeithasol)

BERFAU A DDILYNIR GAN ARDDODIAID

Yn aml gall berfau yn Ffrangeg gael eu dilyn yn syml gan ferfenw – e.e. Je sais nager. (Rwy'n gallu nofio.) Tu veux venir ? (Wyt ti eisiau dod?)

Yn achos nifer o ferfau, maen angen arddodiad o flaen y berfenw. Dyma rai o'r rhai mwyaf cyffredin:

aider à – helpu i
apprendre à – dysgu sut i
commencer à – dechrau
continuer à – parhau i
décider de – penderfynu (gwneud rhywbeth)
inviter à – gwahodd i
réussir à – llwyddo i
s'arrêter de – peidio â (gwneud)
avoir l'intention de – bwriadu
avoir peur de – ofni (gwneud)
avoir besoin de – bod ag angen

CYSYLLTEIRIAU CYFFREDIN

Mae cysyllteiriau yn cael eu defnyddio i ffurfio brawddegau estynedig ac i gynnwys mwy o fanylion mewn Ffrangeg ysgrifenedig a llafar – e.e.:

- Il a beaucoup joué au football **puisqu'**il voulait être footballeur professionnel. Chwaraeodd lawer o bêl-droed gan ei fod eisiau bod yn bêl-droediwr proffesiynol.

Y rhai mwyaf cyffredin yw:

> car – achos/oherwydd
> comme – fel
> depuis (que) – ers (amser)
> donc – felly
> lorsque, quand – pan
> parce que – oherwydd
> puisque – gan (rheswm)
> pendant que – tra
> tandis que – tra

DEPUIS QUE – ERS

Mae depuis yn cael ei ddefnyddio gyda'r amser presennol pan fyddwch chi eisiau dweud 'ers' mewn cymal amser – e.e.:

- Il a commencé à pleuvoir **depuis que** je suis sorti. Mae wedi dechrau bwrw glaw ers i mi fynd allan.

FFURFIAU NEGYDDOL

Cofiwch safle'r negyddol mewn brawddeg Ffrangeg! – e.e. **Je ne joue pas** sur la tablette. Dyma rai o'r ffurfiau negyddol cyffredin y byddwch chi'n eu defnyddio.

Ffrangeg	Cymraeg
ne... pas	ni(d), na(d), ddim
ne... jamais	byth, erioed
ne... plus	bellach, erbyn hyn, mwyach
ne... que	dim ond
ne... rien	dim, dim byd

Sylwch: ne... que – e.e. **Je n'ai mangé que** des bananes. (Dim ond bananas fwytais i.)
Sylwch: ne... jamais – e.e. **Je n'ai jamais** mangé de bananes. (Dydw i erioed wedi bwyta bananas.)

BERFAU

AMSER PRESENNOL

Mae'r amser presennol yn cael ei ddefnyddio i siarad am bethau sy'n digwydd fel arfer – e.e. **Normalement je joue au football.** (Fel arfer rwy'n chwarae pêl-droed), sut mae pethau – e.e. **Il y a mille élèves dans mon collège.** (Mae mil o ddisgyblion yn fy ysgol i.), a'r hyn sy'n digwydd nawr – e.e. **Je fais mes devoirs.** (Rwy'n gwneud fy ngwaith cartref.).

BERFAU RHEOLAIDD

Yn Ffrangeg, mae nifer o ferfau yn yr amser presennol yn dilyn y patrwm 1, 2, 3 isod:

	Math o ferf	Enghraifft	Cymraeg
1.	-er	donner	rhoi
2.	-ir	finir	gorffen
3.	-re	vendre	gwerthu

Cofiwch fod gan bob patrwm 1, 2, 3 derfyniadau gwahanol. Edrychwch ar y patrymau berfau canlynol.

1. donner – rhoi

je donn**e** – rydw i'n rhoi
tu donn**es** – rwyt ti'n rhoi (unigol)
il/elle donn**e** - mae e'n/mae hi'n rhoi
nous donn**ons** – rydyn ni'n rhoi
vous donn**ez** – rydych chi'n rhoi (unigol cwrtais/lluosog)
ils/elles donn**ent** – maen nhw'n rhoi

2. finir – gorffen

je fin**is** – rydw i'n gorffen
tu fin**is** – rwyt ti'n gorffen (unigol)
il/elle fin**it** – mae e'n/mae hi'n gorffen
nous fin**issons** – rydyn ni'n gorffen
vous fin**issez** – rydych chi'n gorffen (unigol cwrtais/lluosog)
ils/elles fin**issent** – maen nhw'n gorffen

3. vendre – gwerthu

je vend**s** – rydw i'n gwerthu
tu vend**s** – rwyt ti'n gwerthu (unigol)
il/elle vend – mae e'n/mae hi'n gwerthu
nous vend**ons** – rydyn ni'n gwerthu
vous vend**ez** – rydych chi'n gwerthu (unigol cwrtais/lluosog)
ils/elles vend**ent** –maen nhw'n gwerthu

BERFAU AFREOLAIDD

Cymerwch ofal! Yn Ffrangeg, mae llawer o ferfau afreolaidd yn yr amser presennol sydd ddim yn dilyn y patrymau arferol hyn. Dyma rai o'r berfau afreolaidd cyffredin:

> aller – mynd
> avoir – cael
> être – bod
> faire – gwneud

aller – mynd

> je vais – rydw i'n mynd
> tu vas – rwyt ti'n mynd (unigol)
> il/elle va – mae e'n/mae hi'n mynd
> nous allons – rydyn ni'n mynd
> vous allez – rydych chi'n mynd (unigol cwrtais/lluosog)
> ils/elles vont – maen nhw'n mynd

avoir – cael

> j'ai – mae gen i
> tu as – mae gen ti (unigol)
> il/elle a – mae ganddo ef/hi
> nous avons – mae gennym ni
> vous avez – mae gennych chi (unigol cwrtais/lluosog)
> ils/elles ont – mae ganddyn nhw

être – bod

> je suis – rydw i
> tu es – rwyt ti (unigol)
> il/elle est – mae ef/hi
> nous sommes – rydyn ni
> vous êtes – rydych chi (unigol cwrtais/lluosog)
> ils/elles sont – maen nhw

faire – gwneud

> je fais – rydw i'n gwneud
> tu fais – rwyt ti'n gwneud (unigol)
> il/elle fait – mae e'n/hi'n gwneud
> nous faisons – rydyn ni'n gwneud
> vous faites – rydych chi'n gwneud (unigol cwrtais/lluosog)
> ils/elles font – maen nhw'n gwneud

GRAMADEG

Cwblhewch bob brawddeg gan ddefnyddio amser cywir y ferf sydd mewn cromfachau.

1. Je _____ (chanter) au concert avec mes amis.
2. Tu _____ (finir) tes devoirs.
3. Tu _____ (choisir) tes propres vêtements.
4. J'_____ (avoir) un bon style !
5. Je _____ (aller) à l'école en voiture.
6. Il y ____ (avoir) un restaurant.
7. Ma ville _____ (être) ennuyeuse.
8. Le musée _____ (ouvrir) à neuf heures.
9. On _____ (acheter) un billet au guichet.

BERFAU ATBLYGOL

Mae berfau atblygol yr amser presennol yn dilyn y patrwm hwn:

se coucher – mynd i'r gwely
je **me** couche – rydw i'n mynd i'r gwely
tu **te** couches – rwyt ti'n mynd i'r gwely (unigol)
il/elle **se** couche – mae e'n/mae hi'n mynd i'r gwely
nous nous couchons – rydyn ni'n mynd i'r gwely
vous **vous** couchez – rydych chi'n mynd i'r gwely (unigol cwrtais/lluosog)
ils/elles **se** couchent – maen nhw'n mynd i'r gwely

Rhowch y brawddegau hyn yn yr amser presennol yn Ffrangeg.
1. vous (**se coucher**)
2. nous (**se lever**)
3. je (**s'habiller**)
4. ils (**se laver**)

RHANGYMERIAD PRESENNOL

Fel arfer rydych chi'n ffurfio'r rhangymeriad presennol drwy ychwanegu -ant at fôn ffurf amser presennol nous.

Presennol **nous**	Rhangymeriad presennol	Cymraeg
nous allons	all**ant**	gan fynd/wrth fynd/yn mynd
nous regardons	regard**ant**	gan edrych ar/wrth edrych ar/yn edrych ar
nous disons	dis**ant**	gan ddweud/wrth ddweud/yn dweud

Mae rhai enghreifftiau afreolaidd hefyd:

Presennol **nous**	Rhangymeriad presennol	Cymraeg
nous avons	ayant	gan gael/wrth gael/yn cael
nous sommes	étant	gan fod/wrth fod
nous savons	sachant	gan wybod/wrth wybod/yn gwybod

Dylech chi ddefnyddio rhangymeriadau presennol fel hyn gan ddefnyddio en – e.e.:

• Il est rentré du match **en** chantant. Aeth ef adref o'r gêm gan/dan ganu.

AMSER DYFODOL

Mae dwy ffordd o ffurfio'r amser dyfodol yn Ffrangeg. Gallwch chi naill ai ddefnyddio :

1. Amser presennol aller + **berfenw** e.e. Je **vais acheter** un nouveau portable. neu
2. Ychwanegu terfyniadau'r amser dyfodol at y berfenw* – e.e. **J'achèterai** un nouveau portable.

* Sylwch fod llawer o ferfau cyffredin (fel avoir, être, aller, venir, faire) yn defnyddio bôn gwahanol yn lle'r berfenw. Gyda berfau -re, mae'r 'e' olaf yn cael ei gollwng cyn ychwanegu'r terfyniadau – e.e.:

• Elle apprendra l'espagnol.

Mae'r berfau canlynol yn afreolaidd. Dysgwch nhw!

• Elle aura quinze ans. (avoir)
• Il sera en retard. (être)
• Tu iras au Canada. (aller)

Dyma batrwm terfyniadau'r ail ddull: -ai, -as, -a, -ons, -ez, -ont.

Dewiswch y gair cywir o'r rhestr isod i gwblhau pob brawddeg.

1. Je vais _____ un ordinateur.
2. Il va _____ sa famille.
3. Nous allons _____ dans un restaurant.
4. Elle va _____ un blog.
5. Je vais _____ un e-mail.

voir   lire   acheter   manger   envoyer

Parwch 1–4 ag a–ch.

1. J'achèterai   a. mes amis.
2. Je visiterai   b. avec mes amis.
3. Je sortirai   c. un nouveau portable.
4. J'écrirai   ch. un blog.

AMSER AMODOL

Rydych chi'n defnyddio'r amser amodol pan fyddwch chi eisiau dweud 'byddai/gallai/dylai'. I ffurfio'r amser hwn, defnyddiwch fôn yr amser dyfodol a therfyniadau'r amser amherffaith.

je finirais – byddwn i'n gorffen
tu finirais – byddet ti'n gorffen (unigol)
il/elle finirait – byddai e'n/byddai hi'n gorffen
nous finirions – bydden ni'n gorffen
vous finiriez – byddech chi'n gorffen (unigol cwrtais/lluosog)
ils/elles finiraient – bydden nhw'n gorffen

MADEG

Cwblhewch bob brawddeg gan ddefnyddio ffurf gywir amodol y ferf sydd mewn cromfachau.

1. Nous _____ (**manger**) au restaurant.
2. J'_____ (**acheter**) une maison.
3. Il _____ (**habiter**) en ville.
4. Ils _____ (**visiter**) un musée.
5. Mes parents _____ (**vendre**) leur maison.

AMSER PERFFAITH

Amser perffaith (gorffennol) gydag avoir

Mae'r rhan fwyaf o ferfau yn yr amser perffaith yn cael eu ffurfio drwy ddefnyddio amser presennol avoir a'r rhangymeriad gorffennol.

> j'**ai** mangé – bwytais i, rydw i wedi bwyta
>
> tu **as** mangé – bwytaist ti, rwyt ti wedi bwyta (unigol)
>
> il/elle **a** mangé – bwytodd ef/hi, mae ef/hi wedi bwyta
>
> nous **avons** mangé – bwyton ni, rydyn ni wedi bwyta
>
> vous **avez** mangé – bwytoch chi, rydych chi wedi bwyta (unigol cwrtais/lluosog)
>
> ils/elles **ont** mangé – bwyton nhw, maen nhw wedi bwyta

Terfyniadau berfau:
- berfau -er – e.e. manger → mang**é**
- berfau -ir – e.e. finir → fin**i**
- berfau -re – e.e. vendre → vend**u**

Amser perffaith (gorffennol) gydag être

Byddwch yn ofalus oherwydd nid yw pob berf yn defnyddio avoir. Mae'r rhestr hon yn dangos yr holl ferfau sy'n defnyddio amser presennol être i ffurfio'r amser perffaith. Mae pob berf atblygol yn cael ei ffurfio yn yr un ffordd.

> aller – mynd
>
> arriver – cyrraedd
>
> descendre – mynd i lawr, dod i lawr
>
> devenir – mynd yn, dod yn
>
> entrer – mynd i mewn, dod i mewn
>
> monter – mynd i fyny, dod i fyny
>
> mourir – marw
>
> naître – cael eich geni
>
> partir – gadael
>
> rentrer – mynd yn ôl, dod yn ôl
>
> rester – aros
>
> retourner – dychwelyd
>
> revenir – dod yn ôl
>
> sortir – mynd allan
>
> tomber – cwympo/syrthio
>
> venir – dod

Gan eu bod yn cael eu ffurfio gydag amser presennol **être**, bydd yn rhaid i rangymeriadau gorffennol y berfau gytuno â'r goddrych.

Edrychwch ar y ferf **arriver** isod fel enghraifft:

> je suis arrivé(e)
>
> tu es arrivé(e)
>
> il est arrivé
>
> elle est arrivée
>
> nous sommes arrivé(e)s
>
> vous êtes arrivé(e)s
>
> ils sont arrivés
>
> elles sont arrivées

GRAMADEG

Cyfieithwch y brawddegau canlynol i'r Ffrangeg gan ddefnyddio amser perffaith y ferf mewn cromfachau.

1. Gwnes i fy ngwaith cartref. (**faire**)
2. Bwytais i frechdan yn y ffreutur. (**manger**)
3. Astudiodd ef yn y llyfrgell. (**étudier**)
4. Rhoddodd yr athrawon lawer o waith cartref. (**donner**)
5. Gweithion ni'n galed iawn. (**travailler**)

GRAMADEG

Cwblhewch bob brawddeg gan ddefnyddio rhangymeriad gorffennol y ferf sydd mewn cromfachau. Cofiwch wneud iddyn nhw gytuno.

1. Elle est _____ (**rentrer**) à la maison.
2. Nous sommes _____ (**arriver**) au collège à neuf heures.
3. Ils sont _____ (**entrer**) dans la salle de classe.
4. Comment es-tu _____ (**aller**) au collège ?
5. Je suis _____ (**retourner**) dans mon école primaire.
6. Ma sœur s'est _____ (**coucher**) tard parce qu'elle avait beaucoup de devoirs.

GRAMADEG

Cwblhewch y brawddegau hyn gan ddefnyddio ffurf gywir être neu avoir.

1. Elle _____ revenue dans notre classe.
2. Nous _____ pris l'autobus ce matin.
3. _____-vous entendu l'explication du professeur ?
4. Mes amis _____ arrivés pendant la récré.
5. Les profs _____ restés dans la salle des professeurs.
6. Il _____ décidé d'étudier les sciences.

AMSER AMHERFFAITH

Mae'r amser amherffaith yn cyfeirio at y gorffennol – e.e. Roeddwn i'n/Roeddwn i'n arfer. Y terfyniadau yw:
-ais, -ais, -ait, -ions, -iez, -aient.

Defnyddiwch y terfyniadau uchod gyda bôn **nous** o'r amser presennol:

Ffurf bresennol **nous**	Ffurf amherffaith **je**	Cymraeg
nous donn**ons**	je donn**ais**	roeddwn i'n rhoi
nous finiss**ons**	je finiss**ais**	roeddwn i'n gorffen
nous vend**ons**	je vend**ais**	roeddwn i'n gwerthu

Sylwch: mae'r patrwm yr un fath ar gyfer pob berf heblaw **être** (y bôn yn yr achos hwn yw **ét-** – e.e. **j'étais**).

Cyfieithwch y brawddegau hyn i'r Ffrangeg.

1. Roeddwn i'n ysgrifennu blog bob dydd.
2. Roeddwn i'n mynd ar fy ngwyliau bob blwyddyn.
3. Roedd ef yn chwarae tennis bob haf.
4. Roedd h'n bwrw glaw bob dydd.

AMSER GORBERFFAITH

Mae'r amser gorberffaith yn cael ei ffurfio gan ddefnyddio amser amherffaith y ferf **avoir** neu **être** gyda'r rhangymeriad gorffennol. Mae berfau'n defnyddio naill ai **avoir** neu **être** yn union fel yn yr amser perffaith – e.e. **j'étais allé(e)** (roeddwn i wedi mynd), **il avait mangé** (roedd ef wedi bwyta).

AMSERAU'R FERF GYDA SI

Gwiriwch y rheol hon sy'n ymwneud â brawddegau estynedig gyda **si**:

- **si + amser presennol** (dyfodol) – e.e. **S'il arrive, je te le dirai.** (Os cyrhaeddiff e, fe ddywedaf i wrthot ti.)
- **si + amser amherffaith** (amodol) – e.e. **Si nous venions, je te téléphonerais.** (Pe baen ni'n dod, byddwn i'n dy ffonio di.)

FFURFIAU'R GORCHMYNNOL (GORCHMYNION)

Yn Ffrangeg gallwch ffurfio gorchmynion drwy ddefnyddio **tu**, **nous** a **vous** yn yr amser presennol.
Cofiwch adael y rhagenw allan (h.y. **tu**, **nous**, **vous**).

Mange ! – Bwyta! (unigol)
Mangeons ! – Bwytawn!/Gadewch i ni fwyta!
Mangez ! – Bwytewch! (unigol cwrtais a lluosog)

Sylwch: ar gyfer berfau sy'n gorffen gydag -er bydd angen i chi adael allan yr 's' yn y ffurf **tu** – e.e. **Tu vas** → **Va !** (Cer!/Dos!)

Cyfieithwch y gorchmynion hyn i'r Ffrangeg drwy ddefnyddio'r ffurf mewn cromfachau.

1. Cer i weld yr amgueddfa! (tu)
2. Rhowch y ffôn symudol i fi! (vous)
3. Gadewch i ni gymryd y ffordd ar y chwith! (nous)
4. Edrych i'r dde! (tu)
5. Trowch i'r chwith! (vous)

Y GODDEFOL

Mae'r goddefol yn defnyddio **être** gyda rhangymeriad gorffennol berf. Mae'n cael ei ddefnyddio i ddweud beth sydd wedi cael ei wneud i rywun neu rywbeth. Mae tair ffurf:

- Goddefol presennol – e.e. **Le recyclage est fait.** (Mae'r ailgylchu yn cael ei wneud.)
- Goddefol amherffaith – e.e. **J'étais respecté.** (Roeddwn i'n cael fy mharchu.)
- Goddefol perffaith – e.e. **J'ai été piqué par une abeille** (Rydw i wedi cael fy mhigo gan wenynen.)

DIBYNNOL PRESENNOL

Dim ond ar gyfer yr Haen Uwch y bydd angen i chi adnabod yr amser hwn. Mae'n cael ei ffurfio drwy ddefnyddio bôn trydydd person lluosog yr amser presennol:

Trydydd person lluosog yr amser presennol	Y dibynnol ar gyfer y person cyntaf unigol
ils donnent	je donne
ils finissent	je finisse
ils vendent	je vende

Y terfyniadau ar gyfer y dibynnol yw -e, -es, -e, -ions, -iez, -ent.

VENIR DE

Yn Ffrangeg, gallwch chi ddefnyddio **venir de** i ddweud eich bod chi newydd wneud rhywbeth. Rydych chi'n defnyddio amser presennol **venir de** a berfenw'r ferf sy'n dilyn – e.e. **Je viens d'arriver** (Rydw i newydd gyrraedd.) Neu gallwch chi ddefnyddio'r amser amherffaith – e.e. **Je venais de partir** (Roeddwn i newydd adael.)

BERFENW PERFFAITH

Mae'r berfenw perffaith yn cael ei ffurfio drwy ddefnyddio berfenw **avoir** neu ferfenw **être** a rhangymeriad gorffennol y ferf. Mae'n golygu 'bod wedi (gwneud)'.

Mae'n cael ei ddefnyddio amlaf gyda'r ymadrodd **après avoir** neu **après être** (ar ôl (gwneud) – e.e. **Après avoir vu le film, nous sommes allés manger au restaurant.** (Ar ôl gwylio'r ffilm, aethon ni i gael bwyd yn y bwyty.)

Cofiwch, wrth ddefnyddio **être** yn yr amser perffaith, bydd angen i'r rhangymeriad gorffennol gytuno yn ôl a yw'r enw yn wrywaidd, yn fenywaidd neu'n lluosog – e.e. **Après être descendues, les filles ont mangé le petit déjeuner.** (Ar ôl dod i lawr, bwytodd y merched frecwast.)

TABLAU BERFAU

BERFAU RHEOLAIDD

Berfau rheolaidd (-er, -ir, -re)

Berfenw		Presennol	Perffaith	Amherffaith	Dyfodol	Amodol
parler – **siarad**	je	parle	ai parlé	parlais	parlerai	parlerais
	tu	parles	as parlé	parlais	parleras	parlerais
	il/elle/on	parle	a parlé	parlait	parlera	parlerait
	nous	parlons	avons parlé	parlions	parlerons	parlerions
	vous	parlez	avez parlé	parliez	parlerez	parleriez
	ils/elles	parlent	ont parlé	parlaient	parleront	parleraient
finir – **gorffen**	je	finis	ai fini	finissais	finirai	finirais
	tu	finis	as fini	finissais	finiras	finirais
	il/elle/on	finit	a fini	finissait	finira	finirait
	nous	finissons	avons fini	finissions	finirons	finirions
	vous	finissez	avez fini	finissiez	finirez	finiriez
	ils/elles	finissent	ont fini	finissaient	finiront	finiraient
vendre – **gwerthu**	je	vends	ai vendu	vendais	vendrai	vendrais
	tu	vends	as vendu	vendais	vendras	vendrais
	il/elle/on	vend	a vendu	vendait	vendra	vendrait
	nous	vendons	avons vendu	vendions	vendrons	vendrions
	vous	vendez	avez vendu	vendiez	vendrez	vendriez
	ils/elles	vendent	ont vendu	vendaient	vendront	vendraient

BERFAU AFREOLAIDD CYFFREDIN

Berfau -er afreolaidd

manger – **bwyta**

Mae gan y ferf manger un ffurf afreolaidd yn yr amser presennol, sef ffurf **nous**: nous mangeons.

commencer – **dechrau**

Mae gan y ferf commencer un ffurf afreolaidd yn yr amser presennol, sef ffurf **nous**: nous commençons.

appeller – galw

Amser presennol:

> j'appelle
> tu appelles
> il/elle appelle
> nous appelons
> vous appelez
> ils/elles appellent

Perffaith	Amherffaith	Dyfodol	Amodol
j'ai appelé	j'appelais	j'appellerai	j'appellerais

Berfau afreolaidd lle mae'r acenion yn newid

acheter – prynu

> j'achète
> tu achètes
> il/elle achète
> nous achetons
> vous achetez
> ils/elles achètent

Perffaith	Amherffaith	Dyfodol	Amodol
j'ai acheté	j'achetais	j'achèterai	j'achèterais

espérer – gobeithio

> j'espère
> tu espères
> Il/elle espère
> nous espérons
> vous espérez
> ils/elles espèrent

Perffaith	Amherffaith	Dyfodol	Amodol
j'ai espéré	j'espérais	j'espérerai	j'espérerais

répéter – ailadrodd

je répète
tu répètes
il/elle répète
nous répétons
vous répétez
ils/elles répètent

Perffaith	Amherffaith	Dyfodol	Amodol
j'ai répété	je répétais	je répéterai	je répéterais

Berfau lle mae'r sillafu'n newid

Mae rhai berfau sy'n gorffen gydag **-oyer** neu **-uyer** yn newid yr 'y' i 'i' yn ffurfiau unigol a lluosog y trydydd person.

envoyer – anfon

j'envoie
tu envoies
il/elle envoie
nous envoyons
vous envoyez
ils/elles envoient

Perffaith	Amherffaith	Dyfodol	Amodol
j'ai envoyé	j'envoyais	j'enverrai	j'enverrais

Berfau -ir afreolaidd

courir – rhedeg

je cours
tu cours
il/elle court
nous courons
vous courez
ils/elles courent

Perffaith	Amherffaith	Dyfodol	Amodol
j'ai couru	je courais	je courrai	je courrais

dormir – cysgu

je dors
tu dors
il/elle dort
nous dormons
vous dormez
ils dorment

Perffaith	Amherffaith	Dyfodol	Amodol
j'ai dormi	je dormais	je dormirai	je dormirais

ouvrir – agor

j'ouvre
tu ouvres
il/elle ouvre
nous ouvrons
vous ouvrez
ils/elles ouvrent

Perffaith	Amherffaith	Dyfodol	Amodol
j'ai ouvert	j'ouvrais	j'ouvrirai	j'ouvrirais

partir – gadael

je pars
tu pars
il/elle part
nous partons
vous partez
ils/elles partent

Perffaith	Amherffaith	Dyfodol	Amodol
je suis parti(e)	je partais	je partirai	je partirais

venir – dod

je viens
tu viens
il/elle vient
nous venons
vous venez
ils/elles viennent

Perffaith	Amherffaith	Dyfodol	Amodol
je suis venu(e)	je venais	je viendrai	je viendrais

Berfau -re afreolaidd

boire – yfed

je bois
tu bois
il/elle boit
nous buvons
vous buvez
ils/elles boivent

Perffaith	Amherffaith	Dyfodol	Amodol
j'ai bu	je buvais	je boirai	je boirais

croire – credu

je crois
tu crois
il/elle croit
nous croyons
vous croyez
ils/elles croient

Perffaith	Amherffaith	Dyfodol	Amodol
j'ai cru	je croyais	je croirai	je croirais

dire – dweud

> je dis
> tu dis
> il/elle dit
> nous disons
> vous dites
> ils/elles disent

Perffaith	Amherffaith	Dyfodol	Amodol
j'ai dit	je disais	je dirai	je dirais

écrire – ysgrifennu

> j'écris
> tu écris
> il/elle écrit
> nous écrivons
> vous écrivez
> ils/elles écrivent

Perffaith	Amherffaith	Dyfodol	Amodol
j'ai écrit	j'écrivais	j'écrirai	j'écrirais

lire – darllen

> je lis
> tu lis
> il/elle lit
> nous lisons
> vous lisez
> ils/elles lisent

Perffaith	Amherffaith	Dyfodol	Amodol
j'ai lu	je lisais	je lirai	je lirais

mettre – rhoi

je mets
tu mets
il/elle met
nous mettons
vous mettez
ils/elles mettent

Perffaith	Amherffaith	Dyfodol	Amodol
j'ai mis	je mettais	je mettrai	je mettrais

prendre – cymryd

je prends
tu prends
il/elle prend
nous prenons
vous prenez
ils/elles prennent

Perffaith	Amherffaith	Dyfodol	Amodol
j'ai pris	je prenais	je prendrai	je prendrais

vivre – byw

je vis
tu vis
il/elle vit
nous vivons
vous vivez
ils/elles vivent

Perffaith	Amherffaith	Dyfodol	Amodol
j'ai vécu	je vivais	je vivrai	je vivrais

Berfau -oir afreolaidd

pouvoir – gallu

> je peux
> tu peux
> il/elle peut
> nous pouvons
> vous pouvez
> ils/elles peuvent

Perffaith	Amherffaith	Dyfodol	Amodol
j'ai pu	je pouvais	je pourrai	je pourrais

voir – gweld

> je vois
> tu vois
> il/elle voit
> nous voyons
> vous voyez
> ils/elles voient

Perffaith	Amherffaith	Dyfodol	Amodol
j'ai vu	je voyais	je verrai	je verrais

vouloir – eisiau

> je veux
> tu veux
> il/elle veut
> nous voulons
> vous voulez
> ils/elles veulent

Perffaith	Amherffaith	Dyfodol	Amodol
j'ai voulu	je voulais	je voudrai	je voudrais

BERFAU AFREOLAIDD

Berfenw		Presennol	Perffaith	Amherffaith	Dyfodol	Amodol
aller – **mynd**	je	vais	suis allé(e)	allais	irai	irais
	tu	vas	es allé(e)	allais	iras	irais
	il/on	va	est allé	allait	ira	irait
	elle	va	est allée	allait	ira	irait
	nous	allons	sommes allé(e)s	allions	irons	irions
	vous	allez	êtes allé(e)(s)	alliez	irez	iriez
	ils/elles	vont	sont allé(e)s	allaient	iront	iraient
avoir – **cael**	j'	ai	ai eu	avais	aurai	aurais
	tu	as	as eu	avais	auras	aurais
	il/elle/on	a	a eu	avait	aura	aurait
	nous	avons	avons eu	avions	aurons	aurions
	vous	avez	avez eu	aviez	aurez	auriez
	ils/elles	ont	ont eu	avaient	auront	auraient
être – **bod**	je	suis	ai été	étais	serai	serais
	tu	es	as été	étais	seras	serais
	il/elle/on	est	a été	était	sera	serait
	nous	sommes	avons été	étions	serons	serions
	vous	êtes	avez été	étiez	serez	seriez
	ils/elles	sont	ont été	étaient	seront	seraient
faire – **gwneud**	je	fais	ai fait	faisais	ferai	ferais
	tu	fais	as fait	faisais	feras	ferais
	il/elle/on	fait	a fait	faisait	fera	ferait
	nous	faisons	avons fait	faisions	ferons	ferions
	vous	faites	avez fait	faisiez	ferez	feriez
	ils/elles	font	ont fait	faisaient	feront	feraient

ATEBION

YR HUNAN A PHERTHNASOEDD

Tudalen 21

1. Mae fy modryb yn ddoniol, yn garedig ac yn hoff o chwaraeon.
2. Pan oeddwn i'n iau, roedd gen i lawer o ffrindiau.
3. Mae fy ffrind gorau yn cyd-dynnu'n dda â'i rieni.
4. Beth yw rhinweddau ffrind da?

TECHNOLEG A CHYFRYNGAU CYMDEITHASOL

Tudalen 25

1. Cysylltu â ffrindiau, bod yn annibynnol.
2. Anfon negeseuon testun, defnyddio cyfryngau cymdeithasol, siarad â ffrindiau.
3. b

IECHYD A FFITRWYDD

Tudalen 31

1. Arferion bwyta yn Ffrainc.
2. Bwyta cinio am 13.00.
3. Bwyta o flaen y teledu.
4. Darllen neu wrando ar gerddoriaeth wrth fwyta.

ADLONIANT A HAMDDEN

Tudalen 35

1. Jerôme
2. Lila
3. Lila
4. Émilie
5. Jerôme

Tudalen 37

1. La semaine dernière, j'ai fait des courses en ville.
2. Le weekend prochain, j'irai au cinéma avec ma famille.
3. Quelle est ton émission de télé préférée ?
4. Je ne peux pas sortir demain, parce que j'ai trop de devoirs.

BWYD A DIOD

Tudalen 41

1. Ei fam-gu/nain.
2. Cacen siocled gyda mefus.
3. Hanner.
4. Yng nghegin y teulu.

GWYLIAU A DATHLIADAU

Tudalen 45

Cafodd yr ŵyl gerdd ym Mharis ei chynnal y penwythnos cyntaf ym mis Mehefin. Es i yno gyda fy ffrindiau ac fe gysgon ni mewn pabell. Dyma'r ail dro i mi fynd i ffwrdd heb fy nheulu. Roedd yn benwythnos mor anhygoel! Hoffwn i fynd yn ôl yno yr haf nesaf.

ARDALOEDD LLEOL O DDIDDORDEB

Tudalen 51

1. A
2. A
3. B
4. B
5. B

Tudalen 53

J'aime habiter dans ma ville, parce qu'il y a beaucoup de choses à faire pour les jeunes. Dans le passé il n'y avait pas de cinéma, mais maintenant il y a un grand centre commercial. À l'avenir, je voudrais habiter en France parce que j'adore la culture française.

TEITHIO A THRAFNIDIAETH

Tudalen 55

1. Desg/swyddfa wybodaeth.
2. Gyferbyn â'r bwyty.
3. Ni chaniateir mynd yno yn ystod y daith.
4. Mynd allan.
5. Ysmygu.

NODWEDDION LLEOL A RHANBARTHOL FFRAINC A GWLEDYDD FFRANGEG EU HIAITH

Tudalen 61

Y llynedd, es i ar wyliau gyda fy rhieni. Arhoson ni gyda fy modryb sy'n byw ar lan y môr. Aethon ni i ymweld â hi ym mis Gorffennaf. Roedd hi'n boeth iawn. Roedden ni'n hoffi'r traeth yn fawr. Roedd y parc thema yn wirioneddol dda a hoffwn i fynd yn ôl yno yr haf nesaf.

GWYLIAU A THWRISTIAETH

Tudalen 65

1. Carl
2. Laetitia
3. Nathan
4. Mathieu

Tudalen 67

1. L'année dernière, je suis **allé(e)** en Espagne.
2. Il **faisait** beau et le soleil **brillait**.
3. Nous **avons passé** deux nuits dans un hôtel au bord de la mer.
4. Normalement, je **fais** beaucoup d'activités nautiques.
5. L'été prochain, nous **voyagerons** en avion.

YR AMGYLCHEDD

Tudalen 71

helpu
diogelu
lleihau
difrodi
arbed
llygru
ailgylchu
dinistrio
achosi
gwastraffu
defnyddio

1. b
2. c
3. ch
4. a
5. d
6. dd

MATERION CYMDEITHASOL

Tudalen 75

1. Wyt ti'n ddisgybl mewn **ysgol uwchradd**? Wyt ti rhwng 16 ac 18 oed? Wyt ti eisiau newid pethau?
2. 1,000.
3. Plant difreintiedig.
4. Drwy'r wefan.

BYWYD YSGOL/COLEG

Tudalen 81

1. Wrth ochr Delphine, oherwydd yr athro ddywedodd wrthyn nhw lle i eistedd.
2. I osgoi sgwrsio.
3. Nid yw sŵn o unrhyw fath yn cael ei oddef/maen nhw'n cael eu hanfon allan.
4. Eu cyfenw a'u henw cyntaf mewn priflythrennau, a'u dosbarth.
5. Sbaeneg.

ASTUDIAETHAU YSGOL/COLEG

Tudalen 85

1. a
2. b
3. c
4. c
5. b
6. c
7. c

CYFLOGAETH

Tudalen 91

1. I weithio fel au pair/gwarchod plant. Gwella ei Saesneg/ennill rhywfaint o arian.
2. Mae hi'n edrych ar ôl anifeiliaid anwes ei chymdogion. Mae hi'n mwynhau mynd â chŵn am dro.
3. Mae e'n edrych ar ôl plant ac mae'n hyfforddwr hwylio.

SGILIAU A RHINWEDDAU PERSONOL

Tudalen 95

1. c
2. ff
3. f
4. g
5. a
6. ch

7. e
8. d
9. b
10. dd

ASTUDIAETH ÔL-16
Tudalen 99
1. Dydw i ddim yn gwybod yn union beth byddaf i'n ei astudio y flwyddyn nesaf.
2. Yn fy marn i, mae pynciau gwyddonol ac ieithoedd yn bwysig iawn mewn bywyd.
3. Mae Cemeg a Mathemateg yn bynciau sy'n mynd yn eithaf da gyda'i gilydd.
4. Yn anffodus, bydd yn rhaid i mi weithio'n galed iawn.
5. Os caf i farciau da, byddaf i'n parhau â'm hastudiaethau busnes.

CYNLLUNIAU GYRFA
Tudalen 103
1. Germaine
2. Hervé
3. Régis
4. Annie
5. Paul
6. Hervé

Tudalen 105
Aimerais-tu travailler à l'étranger ?

Oui, peut-être que je passerai un an en France comme secrétaire dans un bureau. Je ne veux pas être informaticien, mais j'aime travailler avec les ordinateurs. J'ai vraiment besoin d'améliorer mes compétences linguistiques. L'année dernière je suis allé en Espagne et je n'ai rien compris !

GRAMADEG
Tudalen 113
1. Une voiture est plus **chère** qu'un vélo. Mae car yn ddrutach na beic.
2. Les avions sont les plus **impressionnants**. Awyrennau yw'r mwyaf anhygoel.
3. Un livre est moins **intéressant** qu'une tablette. Mae llyfr yn llai diddorol na thabled.
4. Un taxi est aussi **grand** qu'une voiture. Mae tacsi mor fawr â char.

Tudalen 114
1. **Ma** tante habite en France.
2. **Ton** portable est super.
3. Je m'entends bien avec **mon** père.
4. **Mes** parents aiment aller au cinéma.
5. **Nos** amis sont très importants.
6. Combien de temps passes-tu sur **ton** ordinateur ?

Tudalen 116
1. Le concert se trouve **loin** du centre.
2. Tous les concerts ont lieu **dehors**.
3. **Hier** je suis allé(e) à une boum.
4. J'ai **déjà** assisté à beaucoup de concerts.
5. Pendant le festival il y a des touristes **partout**.
6. **Après-demain** nous irons au marché.

Tudalen 126
1. Je **chante** au concert avec mes amis.
2. Tu **finis** tes devoirs.
3. Tu **choisis** tes propres vêtements.
4. J'**ai** un bon style !
5. Je **vais** à l'école en voiture.
6. Il y **a** un restaurant.
7. Ma ville **est** ennuyeuse.
8. Le musée **ouvre** à neuf heures.
9. On **achète** un billet au guichet.

Tudalen 127
1. vous **vous couchez**
2. nous **nous levons**
3. je **m'habille**
4. ils **se lavent**

Tudalen 128
1. Je vais **acheter** un ordinateur.
2. Il va **voir** sa famille.
3. Nous allons **manger** dans un restaurant.
4. Elle va **lire** un blog.
5. Je vais **envoyer** un e-mail.

1. c
2. a
3. b
4. ch

Tudalen 129
1. Nous **mangerions** au restaurant.
2. J'**achèterais** une maison.
3. Il **habiterait** en ville.

4. Ils **visiteraient** un musée.

5. Mes parents **vendraient** leur maison.

Tudalen 130

1. J'ai **fait** mes devoirs.

2. J'ai **mangé** un sandwich à la cantine.

3. Il a **étudié** à la bibliothèque.

4. Les professeurs ont **donné** beaucoup de travail.

5. Nous avons **travaillé** très dur.

1. Elle est **rentrée** à la maison.

2. Nous sommes **arrivé(e)s** au collège à neuf heures.

3. Ils sont **entrés** dans la salle de classe.

4. Comment es-tu **allé(e)** au college ?

5. Je suis **retourné(e)** dans mon école primaire.

6. Ma sœur s'est **couchée** tard, parce qu'elle avait beaucoup de devoirs.

1. Elle est revenue dans notre classe.

2. Nous avons pris l'autobus ce matin.

3. Avez-vous entendu l'explication du professeur ?

4. Mes amis sont arrivés pendant la récré.

5. Les profs sont restés dans la salle des professeurs.

6. Il a décidé d'étudier les sciences.

Tudalen 131

1. J'écrivais un blog tous les jours.

2. J'allais en vacances tous les ans.

3. Il jouait au tennis tous les étés.

4. Il pleuvait tous les jours.

Tudalen 132

1. Visite le musée !

2. Donnez-moi le portable !

3. Prenons la rue à gauche !

4. Regarde à droite !

5. Tournez à gauche !

Маср 13.02.2020